My Prayers

Central Chinmaya Mission Trust

First Edition August 2011 10000 copies

•

Published by:
Central Chinmaya Mission Trust
Sandeepany Sadhanalaya
Saki Vihar Road, Mumbai 400072, India
Tel.: +91-22-2857 2367, 2857 5806
Fax: +91-22-2857 3065
Email: ccmtpublications@chinmayamission.com
Website: www.chinmayamission.com
Buy this book online at www.chinmayamission.com/publications.php

•

Distribution Centre in USA:
Chinmaya Mission West
Publications Division
560 Bridgetown Pike
Langhorne, PA 19053, USA
Tel.: (215) 396-0390 Fax: (215) 396-9710
Email: publications@chinmayamission.org
Website: www.chinmayapublications.org

•

Designed by:
Sneha Pamneja / Chinmaya Kalpanam, Mumbai

•

Illustrations by
Aniket Khanolkar

•

Printed by:
Silverpoint Press Pvt. Ltd.

•

Price: ₹ 250/-

ISBN 978-81-7597-520-0

Transliteration and Pronunciation Guide

In the book, Devanāgarī characters are transliterated according to the scheme adopted by the International Congress of Orientalists at Athens in 1912. In it one fixed pronunciation value is given to each letter; f, q, w, x and z are not called to use. An audio recording of this guide is available at http://chinmayamission.com/scriptures.php. According to this scheme:

Devanāgarī	Translit-eration	Sounds Like	Devanāgarī	Translit-eration	Sounds Like
अ	a	son	ढ्	ḍh	adhesive*
आ	ā	father	ण्	ṇ	under*
इ	i	different	त्	t	tabla
ई	ī	feel	थ्	th	thumb
उ	u	full	द्	d	this
ऊ	ū	boot	ध्	dh	Gandhi
ऋ	ṛ	rhythm*	न्	n	nose
ॠ	ṝ	**	प्	p	pen
ऌ	ḷ	**	फ्	ph	phantom*
ए	e	evade	ब्	b	boil
ऐ	ai	delight	भ्	bh	abhor
ओ	o	core	म्	m	mind
औ	au	now	य्	y	yes
क्	k	calm	र्	r	right
ख्	kh	khan	ल्	l	love
ग्	g	gate	व्	v	very
घ्	gh	ghost	श्	ś	shut
ङ्	ṅ	ankle*	ष	ṣ	sugar
च्	c	chuckle	स्	s	simple
छ्	ch	witch*	ह्	h	happy
ज्	j	justice	ं	ṁ	improvise
झ्	jh	Jhansi	:	ḥ	**
ञ्	ñ	banyan	क्ष्	kṣ	action
ट्	ṭ	tank	त्र्	tr	three*
ठ्	ṭh	**	ज्ञ्	jñ	gnosis
ड्	ḍ	dog	ऽ	'	a silent 'a'

* These letters don't have an exact English equivalent. An approximation is given here.

** These sounds cannot be approximated in English words.

Contents

Preface

PUBLISHER'S NOTE

Central Chinmaya Mission Trust is pleased to release this new edition of My Prayers, with accompanying audio CDs, for children.

We have made these newly formatted print and audio media more colourful and kid friendly in order to help both, children and parents to learn prayers and devotional songs together. For best use of this book, be sure to first review the given Sanskrit pronunciation guide. English translations have been given for select prayers and hymns.

For these new print and audio publications of My Prayers, which promote the saying, 'The family that prays together stays together,' we thank those who helped put the contents together, for their invaluable time and efforts. For new or additional publications (print, audio, video), visit your regional Chinmaya Mission website.

We would like to thank the Acharyas of Chinmaya Mission, the team from Chinmaya Swaranjali and all others for the efforts they put in for the successful publication of this book and CD, from designing, proof-reading and printing of the book to recording, mastering, and replication of the Audio CD.

We would also like to thank late Smt. Ratanbai Surajratan Damani and Relacs Investment & Financial Services for their support.

Śrī Gaṇeśa Caturthī
1st September, 2011
Mumbai

Central Chinmaya Mission Trust
Publication Division

About Chinmaya Mission

Chinmaya Mission was established in India in 1953 by devotees of Pūjya Gurudev Swami Chinmayananda (disciple of the renowned Vedāntin, Swami Tapovanam). They formed the nucleus of a spiritual renaissance movement that now encompasses a wide range of spiritual, educational and charitable activities, ennobling the lives of thousands in India and outside its borders. The Mission is now headed by Pūjya Guruji Swami Tejomayananda, and administered by Central Chinmaya Mission Trust in Mumbai, India.

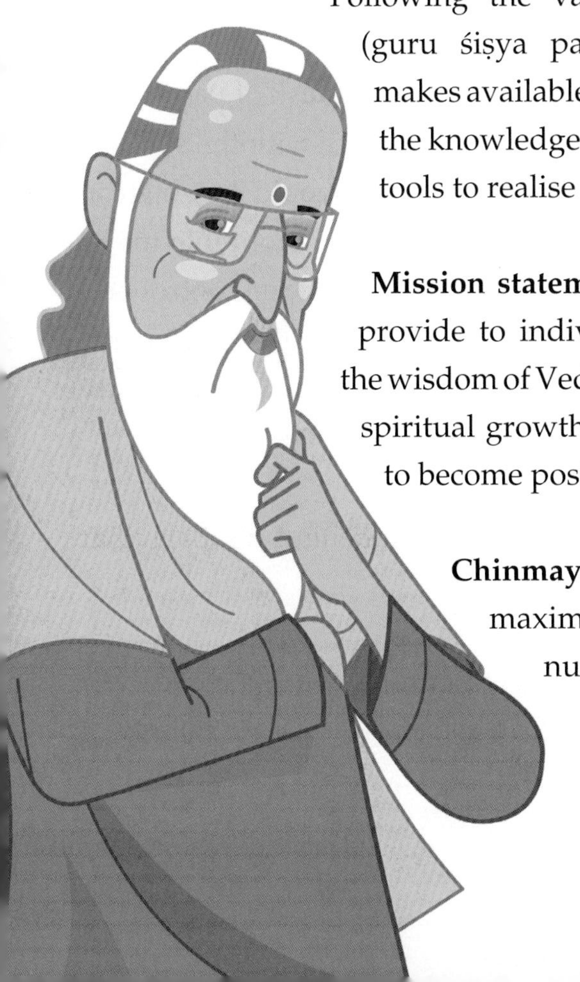

Following the vaidika teacher-taught tradition (guru śiṣya paramparā), Chinmaya Mission makes available the ageless wisdom of Vedānta, the knowledge of one Reality, and provides the tools to realise that wisdom in one's life.

Mission statement of Chinmaya Mission: To provide to individuals, from any background, the wisdom of Vedānta and the practical means for spiritual growth and happiness, enabling them to become positive contributors to society.

Chinmaya Mission Motto: To give maximum happiness, to the maximum number, for the maximum time.

About Chinmaya Balavihar

Chinmaya Mission's Balavihar programmes are renowned and highly acclaimed around the world. Chinmaya Balavihar, conceived and formed by Pūjya Gurudev Swami Chinmayananda, offers spiritual Vedānta classes for children in their formative and moulding years (grades PreKG-12). Conducted worldwide, the classes are based on specially designed syllabi that start and end with Sanskrit prayers, and include bhajans, stories, interactive discussions, and creative activities.

Pūjya Gurudev said, 'Children are not vessels to be filled, but lamps to be lit. Children are the architects of the future world. They are the builders of humanity. It is the most sacred task of parents, as well as teachers, to mould their lives in accordance with the sublime Indian tradition. The seeds of spiritual values should be sown in young hearts and the conditions should be made favourable for its sprouting and steady growth by the exercise of proper control and discipline. Cared for with the warmth of love and affection, such a tree shall blossom forth the flowers of universal love, peace, beauty and perfection.'

Pūjya Gurudev elucidated the rationale behind his Balavihar programme as follows:

- To inculcate in our children and youth a reverence for our ancient culture, and inspire them to live up to it with correct understanding.

- To create self-confidence so that they are able to serve and act cheerfully.

- To generate personal discipline, dynamic leadership, and true affection in all their contacts.

- To mould their capacity to brilliantly express their individuality.

- To bring out their dormant faculties and detect defects so that they can cultivate and improve their creative abilities.

- To help our children and youth to develop a healthy resistance against temptations in the atmosphere in which they grow.

- To provide an atmosphere of growth that is filled with noble ideals, healthy emotions, and physical discipline.

One God

In promoting and teaching the philosophy of Oneness (advaita Vedānta), children are made to understand that though Hinduism may appear to have many gods, the Truth (God) is the one ultimate Reality, and so it is one God appearing as many forms, as all things and beings, in the entire universe.

Audio CDs

One of the most important learning tools published along with this book are the complemental audio CDs. Repeated listening to these CDs will help students learn correct pronunciation and automatic memorisation of the prayers, hymns, and bhajans.

Sanskrit Transliteration and Pronunciation Guide

Be sure to review the given Sanskrit transliteration and pronunciation guide. Correct pronunciation is important, for mispronunciation of a Sanskrit word can change its entire meaning.

Chinmaya Balavihar mission statement:

To help children learn
Values with fun,
To delight like the moon
And shine like the sun.

Chinmaya Balavihar motto: Keep smiling!

गायत्री मन्त्र

ॐ भूर्भुवः सुवः ।
तत् सवितुर्वरेण्यम्
भर्गो देवस्य धीमहि
धियो यो नः प्रचोदयात् ॥

gāyatrī mantra

om bhūrbhuvaḥ suvaḥ,
tat saviturvareṇyam
bhargo devasya dhīmahi
dhiyo yo naḥ pracodayāt.

I worship Om, the supreme Reality that pervades earth, interspace, and the heavens, 'That' is the worshipful and adored Lord sun, 'That' shines as the light of Consciousness in my intellect, burn away my ignorance and illumine my intellect (with the wisdom of the highest Truth.)

Universal Prayers

Did you know . . . ?

Om is the universal sound and sacred name of God. It is often chanted at the start of a prayer.

Śānti is the Sanskrit word for 'peace' and is often chanted at the end of every prayer. It is said thrice so we may get peace at three levels: 1) In the universe and cosmos, 2) In our immediate surroundings, and 3) Within ourselves, in our own hearts and minds.

Brahman is the Sanskrit word that indicates the supreme Reality, or God. Brahman, or God, can be with form or without form. This word is different from Brahmā (Lord Brahmā, the form of god that expresses as the creator) and brāhmaṇa (brāhmin, a person with noble ideals and conduct.)

How and when to pray: Anytime, anywhere, with much love and single pointed attention (not while doing something else). This is your one-to-one appointment with God. Don't miss it! He is always remembering you, waiting for you to be with Him alone.

The Gāyatrī mantra is known to be the greatest and most powerful mantra (sacred syllable or group of syllables filled with mystical powers) of all vaidika mantras. It is said that if all the Vedas were to be lost to humanity, this one Gāyatrī mantra would be enough to fully revive all of vaidika culture and wisdom.

For brahmacārins, or students (boys or girls) from elementary to university level, the Gāyatrī mantra is to be chanted daily and devotedly 108 times. Of course, the more times you chant the mantra, the more power you get!

By chanting the Gāyatrī mantra, one's powers of memory, virtue, speech, intelligence, and conduct are greatly and positively affected. In fact, the ultimate aim of chanting mantras is to lead one closer and closer to God.The Gāyatrī mantra was granted as a boon to Ṛṣi Viśvāmitra when he performed tapas (penance) through single pointed worship of divine Mother. She named him Viśvāmitra, or 'Friend of the universe,' because it was through his worship that all of humanity could benefit from the Gāyatrī mantra.

The power of prayer is the greatest power in the world, for it is filled with faith. When this power of prayer is also filled with unshakable devotion, compassion, and righteousness, it becomes a power that can move mountains!

The 'Chinmaya Mission Pledge' is one of the most complete, inspiring, and powerful commandments written by Pūjya Gurudev Swami Chinmayananda. It has been translated into various languages, and is often the concluding prayer at Chinmaya Mission events. Read it daily, sincerely, line by line, word by word, and you will see how its magical virtues seep into you without effort. You will automatically see positive changes in your conduct, growing devotion in your heart, and dynamic inspiration in all your actions.

The Vedas encourage all devotees and spiritual seekers to have an iṣṭadevatā, or 'Lord of your heart.' Your iṣṭadevatā is the form of

God dearest to your heart, the one with whom you can relate and communicate in whatever way easily, lovingly, joyously, serenely, playfully, noisily, or even irritably but always in total surrender. The Vedas let the devotee choose any form – whether the Guru, Lord Viṣṇu, Lord Śiva, Lord Sūrya (sun), Lord Gaṇeśa, or divine Mother.

It is important to chant 'Jai!' (known as 'jai-jai-kār' in Hindi) at the conclusion of every bhajan. Jai means 'victory,' and here, it means the Lord's victory granted our prayers to remove our bad thoughts and fill us with good values and wisdom.

ध्यान श्लोकः
INVOCATIONS (Dhyāna Ślokaḥ)

१
वैदिक

ॐ सह नाववतु । सह नौ भुनक्तु ।
सह वीर्यं करवावहै ।
तेजस्विनावधीतमस्तु मा विद्विषावहै ॥
ॐ शान्तिः शान्तिः शान्तिः ॥

1
Vaidika

om saha nāvavatu, saha nau bhunaktu,
saha vīryaṁ karavāvahai,
tejasvināvadhītamastu mā vidviṣāvahai.
om śāntiḥ śāntiḥ śāntiḥ.

Om. May the Lord protect us. May He cause us to enjoy. May we energetically work together. May our studies be brilliant. May we never have hatred for each other. Om . May there be peace.

२

श्री गणेश

शुक्लांबरधरं विष्णुं शशिवर्णं चतुर्भुजम्।
प्रसन्नवदनं ध्यायेत् सर्वविघ्नोपशान्तये ॥

2

Lord Gaṇeśa (Śrī Gaṇeśa)

śuklāmbara-dharaṁ viṣṇuṁ śaśi-varṇaṁ caturbhujam,
prasanna-vadanaṁ dhyāyet sarvavighnopa-śāntaye.

Lord Vighneśvara, who wears a white garment, who is all-pervading, who has a bright complexion (like the full moon), who has four hands (representing all power), who has an ever smiling face . . . upon Him I meditate, for the removal of all obstacles.

३

माता सरस्वती

या कुन्देन्दु-तुषार-हार-धवला या शुभ्र-वस्त्रावृता।
या वीणा-वर-दण्ड-मण्डित-करा या श्वेत-पद्मासना।
या ब्रह्माच्युत-शङ्कर प्रभृतिभिः देवैः सदा वंदिता।
सा मां पातु सरस्वती भगवती निःशेष-जाड्यापहा ॥

3

Mātā Sarasvatī

yā kundendu-tuṣāra-hāra-dhavalā yā śubhra-vastrā-vṛtā,
yā vīṇā-vara-daṇḍa-maṇḍita-karā yā śveta-padmāsanā,

yā brahmācyuta-śaṅkara prabhṛtibhiḥ devaiḥ sadā vanditā,
sā māṁ pātu sarasvatī bhagavatī niḥśeṣa-jāḍyāpahā.

May Goddess Sarasvatī — who is fair like the jasmine coloured moon, whose pure white garland looks like frosty dewdrops, who is adorned in radiant white clothes, on whose beautiful palm and arm rests the vīṇā, whose throne is the white lotus, and who is surrounded and respected by the Lord in the forms of Brahmā, Viṣṇu, and Śiva – protect me. I beseech Her to remove all my laziness and sluggishness.

४

श्री गुरु

समस्त-जन-कल्याणे निरतं करुणामयम्।
नमामि चिन्मयं देवं सद्गुरुं ब्रह्मविद्वरम्॥

4

śrī guru

samasta-jana-kalyāṇe nirataṁ karuṇāmayam,
namāmi cinmayaṁ devaṁ sadguruṁ brahmavidvaram.

I salute Śrī Chinmaya, the noble Guru, the best of the knowers of Brahman (the highest Reality), who is full of compassion and ever engaged for the welfare of all people.

प्रार्थनागीतम्

१
त्वं हि नो नेता त्वं हि नो दाता ।
यत्र त्वं नयसि तत्र गच्छामः ॥
२
क्वापि नो चिन्ता क्वापि नो भयम् ।
यदाश्रये तव वर्तामहे सदा ॥
३
रक्षकस्त्वं हि संकटे क्वापि ।
शिक्षकस्त्वं हि शोभने पथि ॥
४
देहि नः शक्तिं बुद्धिं तथा भक्तिम् ।
दर्शिते मार्गे चलनाय नित्यं हि ॥
५
यदि विस्मरामस्त्वां त्वं न विस्मर नः ।
बालकास्तव हे करुणाकर प्रभो ॥

हे प्रभो ! हे विभो ! ! हे गुरो ! ! !

PRĀTHANĀGĪTAM

1
tvaṁ hi no netā tvaṁ hi no dātā,
yatra tvaṁ nayasi tatra gacchāmaḥ.
2
kāpi no cintā kvāpi no bhayam,
yadaśraye tava vartāmahe sadā.
3
rakṣakastvaṁ hi sankaṭe kvāpi,
śikṣakastvaṁ hi śobhane pathi.

4
dehi naḥ śaktiṁ buddhiṁ tathā bhaktim,
darśite mārge calanāya nityaṁ hi.
5
yadi vismarāmastvāṁ tvaṁ na vismara naḥ,
bālakāstava he karuṇākara prabho.

he prabho ! he vibho ! he guro !!!

You are our Leader. You are our Provider. Wherever You lead us, there we shall follow.

We have no worries. We have no fear, for we are always under your shelter.

Indeed, You are our Protector in difficulties. You are our Teacher on the path of goodness.

Grant us strength, wisdom and devotion to always walk on the path You have shown us.

Should we forget You, You please forget us not. We are Your children, O compassionate Lord!

O omniscient Lord! O omnipresent Lord! O Guru!

दैनिक प्रार्थना

DAILY PRAYERS (Dainika Prārthanā)

१ - प्रातः काल

1 - Early Morning

(As soon as you wake up, look at your palms and chant . . .)

१

कराग्रे वसते लक्ष्मीः करमूले सरस्वती ।

करमध्ये तु गोविन्दः प्रभाते कर दर्शनम्

1

karāgre vasate lakṣmīḥ kara-mūle sarasvatī,

kara-madhye tu govindaḥ prabhāte kara darśanam.

On the tip of your hand (fingers) is mother Lakṣmī. On the base of your hand is mother Sarasvatī. In the middle of your hand (palm) is Lord Kṛṣṇa (Govinda). In this manner, look at your hands each morning when you wake up.

(Before you alight from bed and your feet touch the ground, chant . . .)

२

समुद्र वसने देवी पर्वत स्तन मण्डले ।

विष्णु-पत्नि नमस्तुभ्यं पाद-स्पर्शं क्षमस्वमे ॥

2

samudra vasane devī parvata stana maṇḍale,

viṣṇu-patnī namastubhyaṁ pāda-sparśaṁ kṣamasvame.

O Goddess, the consort of Lord Viṣṇu, with verily the ocean as attire and the mountains as the bosom, I prostrate unto you. Please forgive me for stepping on you with my feet.

२ - स्नानं प्राक्

गङ्गे च यमुने चैव गोदावरी सरस्वती ।
नर्मदे सिन्धु कावेरी जलेस्मिन् सन्निधिं कुरु ॥

2 - Before/During Bath/Snānaṁ Prāk
gaṅge ca yamune caiva godāvarī sarasvatī,
narmade sindhu kāverī jalesmin sannidhiṁ kuru.

Holy Gaṅgā, Yamunā, Godāvarī, Sarasvatī, Narmadā, Sindhu, and Kāverī (India's holy rivers), I invoke your presence in the waters in which I am bathing.

३ - अध्ययनात् प्राक्

सरस्वती नमस्तुभ्यं वरदे काम-रूपिणी ।
विद्यारम्भं करिष्यामि सिद्धिर्भवतु मे सदा ॥

3 - Before Studies/adhyayanāt prāk
sarasvatī namastubhyaṁ varade kāma-rūpiṇī,
vidyārambhaṁ kariṣyāmi siddhirbhavatu me sadā.

Mother Sarasvatī, my humble prostrations to you, who are the fulfiller of all my wishes. As I start my studies, I pray to you, May I always succeed.

४ - भोजनात् प्राक्

ब्रह्मार्पणं ब्रह्म हविः ब्रह्माग्नौ ब्रह्मणा हुतम् ।

ब्रह्मैव तेन गन्तव्यं ब्रह्मकर्मसमाधिना ॥

4 - Before Meals/Bhojanāt Prāk

brahmārpaṇaṁ brahma haviḥ brahmāgnau brahmaṇā hutam,
brahmaiva tena gantavyaṁ brahma-karma-samādhinā.

In this eating ritual, or yajña, I offer all to God, for Brahman, the Divine is the offering (oblation) of the clarified butter (ghee) that is poured into the fire, which is also Brahman. Indeed, Brahman shall be reached by him who always sees Brahman in all actions.

५ - दीपदर्शने

शुभं करोति कल्याणं आरोग्यं धनसंपदः ।

शत्रुबुद्धि विनाशाय दीपज्योतिर्नमोस्तु ते ॥

5 - Before Evening Lights/Dīpadarśane

śubhaṁ karoti kalyāṇam ārogyaṁ dhanasampadaḥ,
śatrubuddhi-vināśāya dīpajyotirnamostu te.

I prostrate to the light of the lamp that grants brilliance, auspiciousness, health, and wealth, and destroys wrong and harmful thinking.

६ - क्षमा प्रार्थना

6 - For Forgiveness

(Before you sleep, chant both prayers,to Lord Śiva and Lord Viṣṇu, These are given below)

१

कर-चरण-कृतं वाक्-कायजं कर्मजं वा ।
श्रवण-नयनजं वा मानसं वाऽपराधम् ।
विहितं-अविहितं वा सर्वमेतत् क्षमस्व ।
जय जय करुणाब्धे श्री महादेव शम्भो ॥

1

kara-caraṇa-kṛtaṁ vāk-kayajaṁ karmajaṁ vā,
śravaṇa-nayanajaṁ vā mānasaṁ vā'parādham,
vihitaṁ-avihitaṁ vā sarvametat kṣamasva,
jaya jaya karuṇābdhe śrī mahādeva śambho.

O Lord Śiva, victory to You, who are the ocean of compassion! Please forgive me for all wrongful actions done with body, hands, legs, speech (organs of action), for all wrongful actions done through hearing, seeing, (organs of perception) and thinking – whether they were done knowingly or unknowingly (acts of commission or omission).

२

कायेन वाचा मनसेन्द्रियैर्वा बुद्ध्यात्मना वा प्रकृतेः स्वभावात् ।
करोमि यद्यत् सकलं परस्मै नारायणायेति समर्पयामि ॥

2

kāyena vācā manasendriyairvā buddhyātmanā vā prakṛteḥ svabhāvāt,
karomi yadyat sakalaṁ parasmai nārāyaṇāyeti samarpayāmi.

I offer to the supreme Lord Nārāyaṇa whatever I perform instinctively through my body, speech, mind, sense organs, and intellect.

७ - कल्याण प्रार्थना

7 - Concluding prayers for peace

Our universal prayers ask God for inner peace and world peace, where the mind is calm, quiet, and fearless, where there is auspiciousness for all.

१

ॐ स्वस्ति प्रजाभ्यः परिपालयन्ताम् ।
न्यायेन मार्गेण महीं महीशाः ॥
गोब्राह्मणेभ्यः शुभमस्तु नित्यम् ।
लोकाः समस्ताः सुखिनो भवन्तु ॥
काले वर्षतु पर्जन्यः । पृथिवी सस्य-शालिनी ।
देशोऽयं क्षोभरहितः । ब्राह्मणाः सन्तु निर्भयाः ॥

1

om svasti prajābhyaḥ pari-pālayantām,
nyāyena mārgeṇa mahīṁ mahīśāḥ.
go-brahmaṇebhyaḥ śubhamastu nityam,
lokāḥ samastāḥ sukhino bhavantu.
kāle varṣatu parjanyaḥ, pṛthivī sasya-śālinī,
deśo'yaṁ kṣobha-rahitaḥ, brāhmaṇāḥ santu nirbhayāḥ

Om. Praise be to all the kings, who protect all their subjects with full vigour and justice. May the cows and pious people always be happy. May all the subjects always be happy. May the rains always nourish the fields aplenty. May this country always be free from agitations and disturbances. May all the brahmins (learned, righteous people) be fearless.

२

ॐ सर्वेषां स्वस्तिर्भवतु । सर्वेषां शान्तिर्भवतु ।
सर्वेषां पूर्णं भवतु । सर्वेषां मङ्गलं भवतु ॥

2

om sarveṣāṁ svastirbhavatu, sarveṣāṁ śāntirbhavatu,
sarveṣāṁ pūrṇaṁ bhavatu, sarveṣāṁ maṅgalaṁ bhavatu.

May prosperity prevail upon all. May peace prevail upon all. May contentment prevail upon all. May auspiciousness prevail upon all.

३

सर्वे भवन्तु सुखिनः । सर्वे सन्तु निरामयाः ।
सर्वे भद्राणि पश्यन्तु । मा कश्चिद् दुःखभाग् भवेत् ॥

3

sarve bhavantu sukhinaḥ, sarve santu nirāmayāḥ,
sarve bhadrāṇi paśyantu, mā kaścid duḥkhabhāg bhavet.

May all be happy. May all be healthy. May all see auspiciousness everywhere. May none be sorrowful.

४

असतो मा सद्गमय । तमसो मा ज्योतिर्गमय । मृत्योर्मा अमृतं गमय ॥

4

asato mā sadgamaya, tamaso mā jyotirgamaya, mṛtyormā amṛtaṁ gamaya.

(Dear Lord,) lead us from untruth to Truth, from darkness to Light, from death to Immortality.

५

ॐ पूर्णमदः पूर्णमिदं पूर्णात् पूर्णमुदच्यते ।
पूर्णस्य पूर्णमादाय पूर्णमेवावशिष्यते
ॐ शान्तिः । शान्तिः । शान्तिः ॥

5

om pūrṇamadaḥ pūrṇamidaṁ pūrṇāt pūrṇamudacyate,
pūrṇasya pūrṇamādāya pūrṇamevāvaśiṣyate.
om śāntiḥ, śāntiḥ, śāntiḥ.

Om. All (which is called) 'that' (the Divine) is Infinite. All (which is called) 'this' (the world of names and forms) is also nothing but the Infinite because from the Infinite, the Infinite alone has emerged. Of the Infinite (world of names and forms), if any part is taken (names and forms are removed), the Infinite still remains the Infinite alone. Om. Peace, Peace, Peace. (The Divine alone, expressing as many, is invoked in this prayer of Oneness.)

६

हरि ॐ

श्री गुरुभ्यो नमः

हरि ॐ

6

Hari Om,

Śrī gurubhyo namaḥ,

Hari Om.

Hari Om. Salutations to Śrī Guru. Hari Om.

आरति

ĀRATIS

१ - वैदिक आरति

न तत्र सूर्यो भाति न चन्द्र-तारकं नेमा विद्युतो भान्ति कुतोऽयमग्निः।
तमेव भान्तं अनुभाति सर्वं तस्य भासा सर्वमिदं विभाति ॥

1 - Vaidika ārati

na tatra suryo bhāti na candra-tārakaṁ
nemā vidyuto bhānti kuto'yamagniḥ,
tameva bhāntaṁ anubhāti sarvaṁ
tasya bhāsā sarvamidaṁ vibhāti.

You (O supreme Lord) are there where the sun, moon, stars, and lightning do not shine; these cannot illumine You. Then how can this light (that I hold before You) illumine You? It is Your light (of Consciousness) alone that illumines all.

२ - चिन्मय आरति

आरति श्री चिन्मय सद्गुरु की। दिव्य रूप मूरति करुणा की॥
आरति सद्गुरु की॥
१
चरणोंमें उनके शान्ति समाए। शरणागत की भ्रान्ति मिटाए।
पाप ताप सन्ताप हरनकी। आरति श्री चिन्मय सद्गुरु की॥
आरति सद्गुरु की॥
२
वेद उपनिषद गीता को गाया। धर्म सनातन फिर से जगाया।
शुद्ध नीति प्रीति शङ्कर की। आरति श्री चिन्मय सद्गुरु की॥
आरति सद्गुरु की॥
३
सिद्धबाड़िकी तपोभूमि में। नित्य विराजे गुरु हमारे।
भक्त हृदय आनन्द स्रोत की। आरति श्री चिन्मय सद्गुरु की॥
आरति सद्गुरु की॥
बोलिए सद्गुरुनाथ महाराज की जय॥

2 - Cinmaya Ārati

ārati śrī cinmaya sadgurukī, divya rūpa mūrati karuṇākī.
ārati sadgurukī.
1
caraṇommeṁ unake śānti samāye, śaraṇāgatakī bhrānti miṭāye,
pāpa tāpa santāpa haranakī, ārati śri cinmaya sadgurukī.
ārati sadgurukī.
2
veda upaniṣad gītā ko gāyā, dharma sanātana phira se jagāya,
śuddha nīti prīti śaṅkarakī, ārati śrī cinmaya sadgurukī.
ārati sadgurukī.

3

siddhabāḍikī tapobhūmi meṁ nitya virāje guru hamāre,
bhakta hṛdaya ānanda srota kī, ārati śrī cinmaya sadgurukī.
ārati sadgurukī.
boliye sadgurunātha mahārāja kī jaya.

We worship our Sadguru, Pūjya Gurudev Swami Chinmayananda, who is divine and compassionate. Ultimate peace resides at his feet. He removes the delusions, sins, and difficulties of those who take refuge in him. He taught the Vedas, Upaniṣads, and Śrīmad *Bhagavad-gītā*, and revived 'Sanātana Dharma'. Ever pure in his principles, he is Śaṅkara, the giver of auspiciousness. Our Gurudev ever resides in the sacred and austere land of Siddhabari. He is the very source of the river of bliss flowing in his devotees' hearts.

३ - श्री जगदीश्वर आरति

१

ॐ जय जगदीश हरे। स्वामी जय जगदीश हरे।
भक्तजनों के संकट। दासजनों के संकट। क्षण में दूर करे॥
ॐ जय जगदीश हरे॥

२

जो ध्यावे फल पावे। दुख बिनसे मनका। स्वामी दुख बिनसे मनका।
सुख सम्पति घर आवे। (२) कष्ट मिटे तनका॥
ॐ जय जगदीश हरे॥

३

मात-पिता तुम मेरे। शरण पड़ूँ मैं किसकी। स्वामी शरण पड़ूँ मैं किसकी।
तुम बिन और न दूजा। (२) आस करूँ मैं जिसकी॥
ॐ जय जगदीश हरे॥

४

तुम पूरण परमात्मा। तुम अन्तर्यामी। स्वामी तुम अन्तर्यामी।
पार-ब्रह्म परमेश्वर। (२) तुम सब के स्वामी॥
ॐ जय जगदीश हरे॥

५

तुम करुणा के सागर। तुम पालन-कर्ता। स्वामी तुम पालन-कर्ता।
मैं मूरख खलकामी। मैं सेवक तुम स्वामी। कृपा करो भर्ता॥
ॐ जय जगदीश हरे॥

६

तुम हो एक अगोचर। सब के प्राणपति। स्वामी सब के प्राणपति।
किस बिधि मिलूँ दयामय। किस बिधि मिलूँ कृपामय। तुमको मैं कुमति॥
ॐ जय जगदीश हरे॥

७

दीन-बन्धु दुख-हर्ता। तुम रक्षक मेरे। स्वामी तुम रक्षक मेरे।
अपने हाथ उठाओ। अपने चरण बढ़ाओ। द्वार पड़ा तेरे॥
ॐ जय जगदीश हरे॥

८

विषय-विकार मिटाओ। पाप हरो देवा। स्वामी पाप हरो देवा।
श्रद्धा भक्ति बढ़ाओ। श्रद्धा प्रेम बढ़ाओ। सन्तन की सेवा॥
ॐ जय जगदीश हरे॥

९

तन मन धन सब तेरा। सब कुछ है तेरा। स्वामी सब कुछ है तेरा।
तेरा तुझको अर्पण। क्या लागे मेरा॥
ॐ जय जगदीश हरे॥

3 - Śrī Jagadīśvara Ārati

1

om jaya jagadīśa hare, svāmī! jaya jagadīśa hare,

bhaktajanoṁ ke saṅkaṭa, dāsajanoṁ ke saṅkaṭa, kṣaṇa meṁ dūra kare.

om jaya jagadīśa hare.

2

jo dhyāve phala pāve, dukha binase manakā, svāmī! dukha binase manakā,

sukha sampati ghara āve (2) kaṣṭa miṭe tanakā.

om jaya jagadīśa hare.

3

māta-pitā tuma mere, śaraṇa paḍūm̐ maiṁ kisakī,

svāmī! śaraṇa paḍūm̐ maiṁ kisakī,

tuma bina aura na dūjā, āsa karum̐ maiṁ jisakī.

om jaya jagadīśa hare.

4

tuma pūraṇa paramātmā, tuma antaryāmī, svāmī! tuma antaryāmī,

pārabrahma parameśvara, (2) tuma sabake svāmī.

om jaya jagadīśa hare.

5

tuma karuṇā ke sāgara, tuma pālana-kartā, svāmī! tuma pālana-kartā,

maiṁ mūrakha khalakāmī, maiṁ sevaka tuma svāmī, kṛpā karo bhartā.

om jaya jagadīśa hare.

6

tuma ho eka agocara, saba ke prāṇapati, svāmī! saba ke prāṇapati,

kisa bidhi milūm̐ dayāmaya, kisa bidhi milūm̐ kṛpāmaya,

tuma ko maiṁ kumati.

om jaya jagadīśa hare.

7

dīna-bandhu dukha-hartā, tuma rakṣaka mere, svāmī! tuma rakṣaka mere,

apane hātha uṭhāo, apane caraṇa baḍhāo, dvāra paḍā tere.

om jaya jagadīśa hare.

8

viṣaya-vikāra miṭāo, pāpa haro devā, svāmī pāpa haro devā,

śraddhā bhakti baḍhāo, śraddhā prema baḍhāo, santana kī sevā.

om jaya jagadīśa hare.

9

tana mana dhana saba terā, saba kucha hai terā, svāmī! saba kucha hai terā,

terā tujhako arpaṇa, (2) kyā lāge merā.

om jaya jagadīśa hare.

I pray to the supreme Lord who instantly removes His devotees' obstacles and grants them prosperity. You are my mother, father, and my only refuge in life. You are the supreme Truth, inner controller, and knower of all. You are an ocean of compassion and protector of all. Out of compassion, accept me as Your servant and remove my foolishness, my wrong thinking, my wrong doings, and my agitations. Grant me with increasing faith, devotion, and service of saints. All is Yours and nothing is mine — not body, not wealth. To You I return which was, is, and always will be Yours . . . everything! What is it to me?

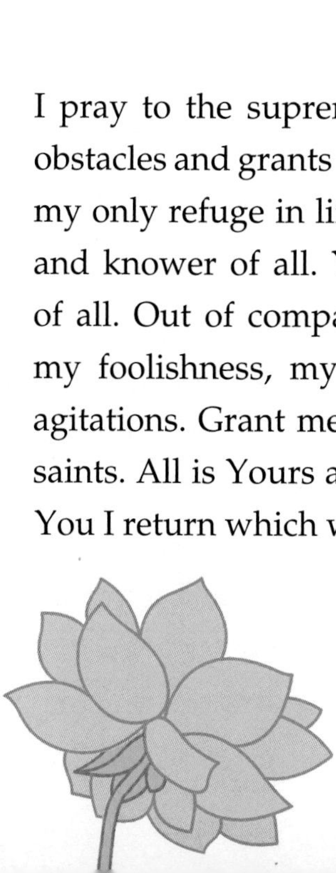

CHINMAYA MISSION PLEDGE

We stand as one family,
bound to each other with love and respect.

We serve as an army,
courageous and disciplined,
ever ready to fight against
all low tendencies and false values,
within and without us.

We live honestly
the noble life of sacrifice and service,
producing more than what we consume
and giving more than what we take.

We seek the Lord's grace
to keep us on the path
of virtue, courage, and wisdom.
May thy grace and blessings
flow through us to the world around us.

We believe that the service of our country
is the service of the Lord of Lords,
and devotion to the people
is devotion to the supreme Self.
We know our responsibilities.
Give us the ability and courage to fulfill them.

Om Tat Sat.

चिन्मय मिशन प्रतिज्ञा

सर्वे वयं गोत्रमिव स्म एकं
प्रेमादरश्लक्ष्णगुणानुबद्धाः ।
योद्धुं सदा चाखिलदुष्प्रवृत्तीः
सेनेव सिद्धा नियताश्च धीराः ॥

सेवा परित्यागमयायुषा च
प्रतिग्रहेभ्योऽधिकमेव दानम् ।
मनस्वितासद्गुणधैर्यमार्गे
त्रातुं प्रसादाय भजाम ईशम् ॥

प्रभो कृपा ते च शुभाशिषोऽस्मद्
द्वाराऽभितोऽस्मिन् जगति स्रवन्तु ।
स्वदेशसेवैव च देवसेवा
सदेति भो! विश्वसिमो दृढं च ॥

जनेषु भक्तिः परमात्मभक्तिः
इति स्वकार्याणि च सुष्ठु विद्मः ।
तेषां प्रपूर्त्यै कृपया प्रभो नो
बलं च धैर्यं वितरोपयुक्तम् ॥

ॐ तत्सत्

CHINMAYA MISSION PLEDGE (SANSKRIT)
CHINMAYA-MISSION PRATIJÑĀ

sarve vayaṁ gotramiva sma ekaṁ
premādaraślakṣṇa-guṇānubaddhāḥ,
yoddhuṁ sadā cākhila-duṣpravṛttīḥ
seneva siddhā niyatāśca dhīrāḥ

sevā-parityāga-mayāyuṣā ca
pratigrahebhyo'dhikameva dānam,
manasvitā-sadguṇa-dhairyamārge
trātuṁ prasādāya bhajāma īśam.

prabho kṛpā te ca śubhāśiṣo'smad
dvārā'bhito'smin jagati sravantu,
svadeśasevaiva ca deva-sevā
sadeti bho! viśvasimo dṛḍhaṁ ca.

janeṣu bhaktiḥ paramātmabhaktiḥ
iti svakāryāṇi ca suṣṭhu vidmaḥ,
teṣāṁ prapurtyai kṛpayā prabho no
balaṁ ca dhairyaṁ vitaropayuktam.

om tat sat

संस्कृत में शुभकामनायें

रचना - स्वामी तेजोमयानन्द

SANSKRIT GREETINGS

Composed by Pūjya Gurujī Swami Tejomayananda

१

जन्मदिन गीत

जन्म-दिनमिदं अयि प्रिय सखे।
शन्तनोतु ते सर्वदा मुदम्॥

प्रार्थयामहे भव शतायुषी।
ईश्वरः सदा त्वां च रक्षतु॥

पुण्यकर्मणा कीर्तिमर्जय।
जीवनं तव भवतु सार्थकम्॥

1

Birthday Song

janma-dinamidaṁ ayi priya sakhe,
śantanotu te sarvadā mudam.

prārthayāmahe bhava śatāyuṣī,
īśvaraḥ sadā tvāṁ ca rakṣatu.

puṇyakarmaṇā kīrtimarjaya,
jīvanaṁ tava bhavatu sārthakam.

O dear friend! May your birthday bring you goodness and joy forever. We all pray for your long life of hundred years. May the Lord always protect you. By noble deeds, may you attain fame, and may your life be fulfilled.

२

नव वर्ष गीत

क्षणं प्रतिक्षणं यन्नवं नवम् ।
तच्च सुन्दरं सच्च तच्छिवम् ॥

वर्ष-नूतनं ते शुभं मुदम् ।
उत्तरोत्तरं भवतु सिद्धिदम् ॥

2

New Year Song

kṣaṇaṁ pratikṣaṇaṁ yannavaṁ navam,
tacca sundaraṁ sacca tacchivam.

varṣa-nutanaṁ te śubhaṁ mudam,
uttarottaraṁ bhavatu siddhidam.

Beauty is that which is fresh and new at every moment. Indeed, such is truth and verily that alone is auspicious. May this new year be auspicious, delightful and bring greater and greater achievements for you.

३

दीक्षान्त गीत

अभिनन्दनम् अभिनन्दनम् ।
दीक्षान्त-काले अभिनन्दनम् ॥

उद्यमेन हि वर्धते यशः ।
कुरु कर्म त्वं सर्वदा ततः ॥

स्वस्ति वः सदा शोभने पथि ।
प्रार्थयामहे ईश्वरं प्रति ॥

3

Graduation Song

abhinandanam abhinandanam,
dīkṣānta-kāle abhinandanam.

udyamena hi vardhate yaśaḥ,
kuru karma tvaṁ sarvadā tataḥ.

svasti vaḥ sadā śobhane pathi,
prārthayāmahe īśvaraṁ prati.

Best wishes, greetings and congratulations on the occasion of your graduation! Indeed, it is diligence that enhances glory, Therefore, be ever committed to action. We all pray to the Lord that all blessings be with you as you walk the auspicious path.

४

विवाह गीत

विवाह-दिनमिदं भवतु हर्षदम्।
मङ्गलं तथा वां च क्षेमदम्॥

प्रतिदिनं नवं प्रेम वर्धताम्।
शत-गुणं कुलं सदा हि मोदताम्॥

लोक-सेवया देव-पूजनम्।
गृहस्थ-जीवनं भवतु मोक्षदम्॥

4

Wedding/Anniversary Song

vivāha-dinamidaṁ bhavatu harṣadam,
maṅgalaṁ tathā vāṁ ca kṣemadam.

pratidinaṁ navaṁ prema vardhatām,
śata-guṇaṁ kulaṁ sadā hi modatām.

loka-sevayā deva-pūjanam,
gṛhastha-jīvanaṁ bhavatu mokṣadam.

May this wedding day bestow to both of you happiness, goodness, and well-being. May your love for each other grow hundredfold everyday and may it ever be fresh. May your family always rejoice. By serving the world with an attitude of worshipping the Lord may your household life lead you to Liberation.

श्री गणेश

LORD GANESHA (Śrī Gaṇeśa)

Did you know . . . ?

Lord Gaṇeśa is the remover of all obstacles. Therefore, before any pūjā or significant event begins, we pray to Him first.

Lord Gaṇeśa has twelve famous names: Vakra-tuṇḍa, Eka-danta, Kṛṣṇa-piṅgākṣa, Gaja-vaktra, Lambodara, Vikaṭa, Vighna-rāja, Dhūmra-varṇa, Bhāla-candra, Vināyaka, Gaṇapatī, Gajānana.

The main annual festival for Lord Gaṇapatī is Gaṇeśa Caturthī, which is celebrated in the month of Bhādrapad corresponding to August - September.

This younger son of Lord Śiva and mother Pārvatī, is the brother of Lord Kārtikeya (Subrahmaṇyam). Lord Gaṇapatī has many temples around the world and a special form of Siddhivināyaka, in which His trunk bends to the right, not to the left.

Lord Gaṇeśa's trunk shows great discrimination (the ability to choose right from wrong), His large ears take in all good things, His big belly can digest all that life brings Him—good or bad, and He rides a mouse!

Whose favourite flower is the red hibiscus? And whose favourite food is the modaka? You guessed it: Śrī Mahāgaṇapatī!

The mahāmantra for Lord Gaṇeśa is 'om gaṁ gaṇapataye namaḥ.'

ध्यान श्लोकः
INVOCATION (Dhyāna Ślokaḥ)

१

वक्रतुण्ड महाकाय सूर्यकोटि समप्रभ।
निर्विघ्नं कुरु मे देव सर्व-कार्येषु सर्वदा॥

1

vakratuṇḍa mahākāya sūryakoṭi samaprabha,
nirvighnaṁ kuru me deva sarva-kāryeṣu sarvadā.

O Lord Gaṇeśa, of bent trunk and big body, Your radiance is like that of infinite suns. Please always remove all obstacles from all my actions/work.

२

गजाननं भूत-गणादि सेवितं कपित्थ-जम्बू-फल-सार भक्षितम्।
उमा-सुतं शोक-विनाश-कारणं नमामि विघ्नेश्वर-पाद-पङ्कजम्॥

2

gajānanaṁ bhūta-gaṇādi-sevitaṁ kapittha-jambū-phala-sāra bhakṣitam,
umā-sutaṁ śoka-vināśa-kāraṇaṁ namāmi vighneśvara-pāda-paṅkajam.

I pray to the lotus feet of Lord Gaṇeśa, the remover of obstacles, the elephant headed Lord of all beings, who drinks the juice of the kapittha and jambū fruits, the son of Umā, who destroys all sorrows.

गणेश स्तवः

१
अजं निर्विकल्पं निराकारमेकं
निरानन्द-आनन्द-अद्वैत-पूर्णम् ।
परं निर्गुणं निर्विशेषं निरीहं
पर-ब्रह्म-रूपं गणेशं भजेम ॥
२
गुणातीत-मानं चिदानन्द-रूपं
चिदाभासकं सर्वगं ज्ञान-गम्यम् ।
मुनि-ध्येयमाकाश-रूपं परेशं
पर-ब्रह्म-रूपं गणेशं भजेम ॥
३
जगत्-कारणं कारण-ज्ञान-रूपं
सुरादिं सुखादिं गुणेशं गणेशम् ।
जगद्-व्यापिनं विश्व-वन्द्यं सुरेशं
पर-ब्रह्म-रूपं गणेशं भजेम ॥

GAṆEŚA-STAVAḤ

1
ajaṁ nirvikalpaṁ nirākāramekaṁ
nirānanda-ananda-advaita-pūrṇam,
paraṁ nirguṇaṁ nirviśeṣaṁ nirīhaṁ
para-brahma-rūpaṁ gaṇeśaṁ bhajema.
2
guṇātīta-mānaṁ cidānanda-rūpaṁ
cidābhāsakaṁ sarvagaṁ jñāna-gamyam,
muni-dhyeyamākāśa-rūpaṁ pareśaṁ
para-brahma-rūpaṁ gaṇeśaṁ bhajema.

3

jagat-kāraṇaṁ kāraṇa-jñāna-rūpaṁ
surādiṁ sukhādiṁ guṇeśaṁ gaṇeśam,
jagad-vyāpinaṁ viśva-vandyaṁ sureśaṁ
para-brahma-rūpaṁ gaṇeśaṁ bhajema.

गणेश पञ्चरत्नम्

१

मुदा-करात्त-मोदकं सदा विमुक्ति-साधकं
कला-धरा-वतंसकं विलासि-लोक-रक्षकम्।
अनायकैक-नायकं विनाशिते-भदैत्यकं
नता-शुभाशु-नाशकं नमामि तं विनायकम्॥

२

नतेतराति-भीकरं नवोदितार्क-भास्वरं
नमत्-सुरारि-निर्जरं नताधिकापदुद्धरम्।
सुरेश्वरं निधीश्वरं गजेश्वरं गणेश्वरं
महेश्वरं तमाश्रये परात्परं निरन्तरम्॥

३

समस्त-लोक-शङ्करं निरस्त-दैत्य-कुञ्जरं
दरे-तरो-दरं वरं वरेभवक्रमक्षरम्।
कृपाकरं क्षमाकरं मुदाकरं यशस्करं
मनस्करं नमस्कृतां नमस्करोमि भास्वरम्॥

४

अकिञ्चनार्ति-मार्जनं चिरन्तनोक्ति-भाजनं
पुरारि-पूर्व-नन्दनं सुरारि-गर्व-चर्वणम्।
प्रपञ्च-नाश-भीषणं धनञ्जयादि-भूषणं
कपोल-दान-वारणं भजे पुराण-वारणम्॥

५

नितान्त-कान्त-दन्त-कान्तिमन्त-कान्तकात्मजं
अचिन्त्य-रूपमन्त-हीनमन्त-राय-कृन्तनम् ।
हृदन्तरे निरन्तरं वसन्तमेव योगिनां
तमेकदन्तमेव तं विचिन्तयामि सन्ततम् ॥

६

महा-गणेश-पञ्चरत्नमादरेण योऽन्वहं
प्रजल्पति-प्रभातके हृदि स्मरन् गणेश्वरम् ।
अरोगतामदोषतां सुसाहितीं सुपुत्रतां
समाहितायुरष्ट-भूतिमभ्युपैति सोऽचिरात् ॥

GAṆEŚA-PAÑCARATNAM

1

mudā-karātta-modakaṁ sadā vimukti-sādhakaṁ
kalā-dharā-vataṁsakaṁ vilāsi-loka-rakṣakam,
anāyakaika-nāyakaṁ vināśite-bhadaityakaṁ
natā-śubhāśu-nāśakaṁ namāmi taṁ vināyakam.

2

natetarāti-bhīkaraṁ navoditārka-bhāsvaraṁ
namat-surāri nirjaraṁ natādhikāpaduddharam,
sureśvaraṁ nidhīśvaraṁ gajeśvaraṁ gaṇeśvaraṁ
maheśvaraṁ tamāśraye parātparaṁ nirantaram.

3

samasta-loka-śaṅkaraṁ nirasta-daitya-kuñjaraṁ
dare-taro-daraṁ varaṁ varebhavaktramakṣaram,
kṛpākaraṁ kṣamākaraṁ mudākaraṁ yaśaskaraṁ
manaskaraṁ namaskṛtāṁ namaskaromi bhāsvaram.

4

akiñcanārti-mārjanaṁ cirantanokti-bhājanaṁ
purāri-pūrva-nandanaṁ surāri-garva-carvaṇam,
prapañca-nāśa-bhīṣaṇaṁ dhanañjayādi-bhūṣaṇaṁ
kapola-dāna-vāraṇaṁ bhaje purāṇa-vāraṇam.

5

nitānta-kānta-danta-kāntimanta-kāntakātmajaṁ
acintya-rūpamanta-hīnamanta-rāya-kṛntanam,
hṛdantare nirantaraṁ vasantameva yogināṁ
tamekadantameva taṁ vichintayami santatam.

6

mahā-gaṇeśa-pañcaratnamādareṇa yo'nvahaṁ
prajalpati-prabhātake hṛdi smaran gaṇeśvaram,
arogatām-adoṣatāṁ susāhitīṁ suputratāṁ
samāhitāyuraṣṭa-bhūtimabhyupaiti so'cirāt.

भजन

BHAJANS

१

गणपति (६) पालय माम् ॥
गण-पति गुण-पति गज-पति मम-पति वर-पति सुर-पति पालय माम् ॥
गणपति बाल गणपति गम्भीर गणपति ज्ञान गणपति नर्तन
गणपति (६) पालय माम् ॥
गण-पति गुण-पति गज-पति मम-पति वर-पति सुर-पति पालय माम् ॥

1

gaṇapati (6) . . . pālaya mām.
gaṇa-pati guṇa-pati gaja-pati mama-pati vara-pati sura-pati pālaya mām.
gaṇapati bāla gaṇapati gambhīra gaṇapati jñāna gaṇapati nartana
gaṇapati (6).......pālaya mām.
gaṇa-pati guṇa-pati gaja-pati mama-pati vara-pati sura-pati pālaya mām.

२

गणेश शरणं शरणं गणेश ॥ (४)
वागीश शरणं शरणं वागीश ॥ (४)
सारीश शरणं शरणं सारीश ॥ (४)

2

gaṇeśa śaraṇaṁ śaraṇaṁ ganeśa. (4)

vāgīśa śaraṇaṁ śaraṇaṁ vāgīśa. (4)

sarīśa śaraṇaṁ śaraṇaṁ sārīśa. (4)

३

जय गणेश जय गणेश जय गणेश पाहि माम्॥

जय गणेश जय गणेश जय गणेश रक्ष माम्॥

जय गणेश पाहि मां जय गणेश रक्ष माम्॥ (२)

जय गणेश रक्ष माम्॥ (३)

3

jaya gaṇeśa jaya gaṇeśa jaya gaṇeśa pāhi mām.
jaya gaṇeśa jaya gaṇeśa jaya gaṇeśa rakṣa mām.
jaya gaṇeśa pāhi māṁ jaya gaṇeśa rakṣa mām. (2)
jaya gaṇeśa rakṣa mām. (3)

४

महा-गणपते नमोस्तु ते ।
मातङ्ग-मुख नमोस्तु ते ।
गिरिजा-नन्दन नमोस्तु ते ।
पार्वती-बालक नमोस्तु ते ।
ओंकारेश्वर नमोस्तु ते ।
जय विजयी भव नमोस्तु ते ॥ (२)
महा-गणपते नमोस्तु ते नमोस्तु ते ॥ (२)

4

mahā-gaṇapate namostu te,
mātaṅga-mukha namostu te,
girijā-nandana namostu te,
pārvatī-bālaka namostu te,
oṅkāreśvara namostu te,
jaya vijayī bhava namostu te. (2)
mahā-gaṇapate namostu te
namostu te. (2)

५

श्री महा-गणपते शिव-कुमार गणपते ।
शक्ति-रूप गणपते सदा-नन्द गणपते ।

एक-दन्त गणपते हेरम्ब गणपते ।
लम्बोदर गणपते ललित-गुण गणपते ।
नमस्तेऽस्तु गणपते नमस्ते नमस्ते नमस्ते ॥

विघ्न-राज गणपते विश्व-मूल गणपते ।
विद्याधर गणपते विजय-वीर गणपते ।
करुणाकर गणपते गौरी-सुत गणपते ।
प्रणव-रूप गणपते परम-शान्त गणपते ।
नमस्तेऽस्तु गणपते नमस्ते नमस्ते नमस्ते ॥

5

śrī mahā-gaṇapate śiva-kumāra gaṇapate,
śakti-rūpa gaṇapate sadā-nanda gaṇapate,
eka-danta gaṇapate heramba gaṇapate,
lambodara gaṇapate lālita-guṇa gaṇapate,
namaste'stu gaṇapate namaste namaste namaste.

vighna-rāja gaṇapate viśva-mūla gaṇapate,
vidyādhara gaṇapate vijaya-vīra gaṇapate,
karuṇākara gaṇapate gaurī-suta gaṇapate,
praṇava-rūpa gaṇapate parama-śānta gaṇapate,
namaste'stu gaṇapate namaste namaste namaste.

६

सिद्धि-विनायक नमो नमो । शक्ति-बालका नमो नमो ।
नित्यानन्द नमो नमो । सिद्धि-विनायक नमो नमो ।
बाल-गणपते नमो नमो । षण्मुख-सोदर नमो नमो ।

मूषिक-वाहन नमो नमो । मोहन-रूपा नमो नमो ।
शिव-गण-नाथ नमो नमो । चिन्मय-रूपा नमो नमो ॥ (२)
शिव-गण-नाथ नमो नमो । चिन्मय-रूपा नमो नमो ॥ (२)

6

siddhi-vināyaka namo namo, śakti-bālakā namo namo,
nityānanda namo namo, siddhi-vināyaka namo namo,
bāla-gaṇapate namo namo, ṣaṇmukha-sodara namo namo,
mūṣika-vāhana namo namo, mohana-rūpā namo namo,
śiva-gaṇa-nātha namo namo, cinmaya-rūpā namo namo. (2)
śiva-gaṇa-nātha namo namo, cinmaya-rūpā namo namo. (2)

७

गजानन ॐ गजवदन ।
हेरम्ब गजानन ॥ (२)
मूषिक-वाहन गजानन । मोदक-हस्त गजानन ॥
पाहि पाहि गजानन ।
पार्वती-पुत्र गजानन । हेरम्ब गजानन ।
मूषिक-वाहन गजानन । मोदक-हस्त गजानन ॥
मोदक-हस्त गजानन ॥ (२)

7

gajānana om gajavadana,
heramba gajānana. (2)
mūṣika-vāhana gajānana, modaka-hasta gajānana.
pāhi pāhi gajānana,
pārvatī-putra gajānana, heramba gajānana,
mūṣika-vāhana gajānana, modaka-hasta gajānana.
modaka-hasta gajānana. (2)

८

शुक्लाम्बरधरं गणपति मंत्रं (२)
नित्यं नित्यं जपो जपो । (२)
विघ्न-विनायक विद्या-दायक (२)
वीर गणपति भजो भजो ।
बाल गणपति जपो जपो ॥

8

śuklāmbaradharaṁ gaṇapati mantraṁ (2)
nityaṁ nityaṁ japo japo, (2)
vighna-vināyaka vidyā-dāyaka (2)
vīra gaṇapati bhajo bhajo,
bāla gaṇapati japo japo.

९

श्री गणराया । जय गणराया ।
श्री गणराया । जय गणराया । गणपति बाप्पा मोरया । (२)
मोरया मोरया गणपति बाप्पा मोरया ॥ (२)
सिद्धि-विनायक । बुद्धि-प्रदायक ।
सिद्धि-विनायक । बुद्धि-प्रदायक । गणपति बाप्पा मोरया ।
मोरया मोरया गणपति बाप्पा मोरया ॥

विघ्न-विनायक । विद्या-दायक ।
विघ्न-विनायक । विद्या-दायक । गणपति बाप्पा मोरया ।
मोरया मोरया गणपति बाप्पा मोरया ॥
मङ्गल-दायक । मोक्ष-प्रदायक ।
मङ्गल-दायक । मोक्ष-प्रदायक । गणपति बाप्पा मोरया ।

मोरया मोरया गणपति बाप्पा मोरया ॥ (२)
मोरया रे बाप्पा मोरया रे ॥ (२)

9

śrī gaṇarāyā, jaya gaṇarāyā,
śrī gaṇarāyā, jaya gaṇarāyā, gaṇapati bāppā morayā, (2)
morayā morayā gaṇapati bāppā morayā. (2)

siddhi-vināyaka, buddhi-pradāyaka,
siddhi-vināyaka, buddhi pradāyaka, gaṇapati bāppā morayā,
morayā morayā gaṇapati bāppā morayā.

vighna-vināyaka, vidyā-dāyaka,
vighna-vināyaka, vidyā-dāyaka, gaṇapati bāppā morayā,
morayā morayā gaṇapati bāppā morayā.

maṅgala-dāyaka, mokṣa-pradāyaka,
maṅgala-dāyaka, mokṣa-pradāyaka, gaṇapati bāppā morayā,
morayā morayā gaṇapati bāppā morayā. (2)
moraya re bāppā morayā re. (2)

१०

पाहि पाहि गजानन । पार्वती-पुत्र गजानन ।
मूषिक-वाहन गजानन । मोदक-हस्त गजानन ।
चामर-कर्ण गजानन । विलम्बित-सूत्र गजानन ।
वामन-रूप गजानन । महेश्वर-पुत्र गजानन ।
विघ्न-विनायक गजानन । तव पाद नमस्ते गजानन ॥

10

pāhi pāhi gajānana, pārvatī-putra gajānana,
mūṣika-vāhana gajānana, modaka-hasta gajānana,
cāmara-karṇa gajānana, vilambita-sūtra gajānana,
vāmana-rūpa gajānana, maheśvara-putra gajānana,
vighna-vināyaka gajānana, tava pāda namaste gajānana.

11

single-tusked gaṇapati. . . . एक दन्त eka-danta

big-bellied gaṇapati. . . . लम्बोदर lambodara

remover of obstacles. . . . विघ्न-नाशक vighna-nāśaka

supreme Lord My. . . . विनायक vināyaka

Lord of all spirits. . . . गण-नायक gaṇa-nāyaka

elephant-faced god. . . . गजानन gajānana

bent-trunked gaṇapati. . . . वक्र-तुण्ड vakra-tuṇḍa

son of pārvatī. . . . उमा-सुत umā-suta

12

great god gaṇapati, I bow to thee,
elephant-faced one, I bow to thee,
delight of lord śiva, I take refuge in thee,
O! big-bellied son of mother pārvatī,
infinite om, O! I bow to thee,
you ride on your mouse unto victory.
great god gaṇapati, I bow to thee (3)

श्री कार्तिकेय भजन (गणेश जी के भाई)

BHAJAN: Śrī Kārtikeya (Lord Gaṇeśa's brother)

सुब्रह्मण्यं सुब्रह्मण्यम्
षण्मुख-नाथ सुब्रह्मण्यम् ॥ (२)

शिव शिव शिव शिव सुब्रह्मण्यम् ।
हर हर हर हर सुब्रह्मण्यम् ।
शिव शिव हर हर सुब्रह्मण्यम् ।
हर हर शिव शिव सुब्रह्मण्यम् ॥

शिव शरवण-भव सुब्रह्मण्यम् ।
गुरु शरवण-भव सुब्रह्मण्यम् ।
शिव शिव हर हर सुब्रह्मण्यम् ।
हर हर शिव शिव सुब्रह्मण्यम् ॥
सुब्रह्मण्यं सुब्रह्मण्यम्
षण्मुख-नाथ सुब्रह्मण्यम् ॥ (६)

subrahmaṇyaṁ subrahmaṇyam
ṣaṇmukha-nātha subrahmaṇyam. (2)

śiva śiva śiva śiva subrahmaṇyam,
hara hara hara hara subrahmaṇyam,
śiva śiva hara hara subrahmaṇyam,
hara hara śiva śiva subrahmaṇyam.

śiva śaravaṇa-bhava subrahmaṇyam,
guru śaravaṇa-bhava subrahmaṇyam,
śiva śiva hara hara subrahmaṇyam,
hara hara śiva śiva subrahmaṇyam.

subrahmaṇyaṁ subrahmaṇyam
ṣaṇmukha-nātha subrahmaṇyam. (6)

देवी माता

DIVINE MOTHER (Devī Mātā)

Did you know . . . ?

Divine Mother's forms make up the trinity, just as Lord Brahmā, Viṣṇu, and Śiva do. Her forms are of mother Durgā (to remove our negativities), mother Lakṣmī (to give us the wealth of good health, prosperity, and good values), and mother Sarasvatī (to grant us right thinking and spiritual wisdom).

The main annual festival for divine Mother is Navarātri (the nine nights), when she fought with, and destroyed, the demon Mahiṣāsura. The celebrations take place before Dīpāvali time and sometimes again in springtime.

Mother Durgā's many names include Umā, Pārvatī, Gaurī, Kālī, Caṇḍī, Śrī, Annapūrṇā, Māyā, and Śakti. She is the mother of the universe.

Mother Durgā rides the tiger. Mother Lakṣmī stands on a lotus. Mother Sarasvatī plays the vīṇā and rides a swan.

The mahāmantra for Śakti Mā (divine Mother) is 'om aim hrīm klīm cāmuṇḍāyai vic-che.'

ध्यान श्लोकः
INVOCATION (DHYĀNA ŚLOKAḤ)

सर्व-मङ्गल-माङ्गल्ये शिवे सर्वार्थ-साधिके ।
शरण्ये त्र्यम्बके गौरि नारायणि नमोऽस्तु ते ॥
sarva-maṅgala-māṅgalye śive sarvārtha-sādhike,
śaraṇye tryambake gauri nārāyaṇi namo'stu te.

Salutations to you, Nārāyaṇī, who is the auspiciousness of all that is auspicious, who is the consort of the three eyed Lord Śiva, who is the means of accomplishing all desires, who is the refuge of all, and who is the fair complexioned one.

महालक्ष्म्यष्टकम्

१
नमस्तेऽस्तु महामाये श्रीपीठे सुर-पूजिते ।
शङ्ख-चक्र-गदा-हस्ते महालक्ष्मि नमोऽस्तु ते ॥
२
नमस्ते गरुडारूढे कोलासुर-भयङ्करि ।
सर्व-पाप-हरे देवि महालक्ष्मि नमोऽस्तु ते ॥
३
सर्वज्ञे सर्व-वरदे सर्व-दुष्ट-भयङ्करि ।
सर्व-दुःख-हरे देवि महालक्ष्मि नमोऽस्तु ते ॥
४
सिद्धि-बुद्धि-प्रदे देवि भुक्ति-मुक्ति-प्रदायिनि ।
मंत्र-मूर्ते सदा देवि महालक्ष्मि नमोऽस्तु ते ॥

५

आद्यन्त-रहिते देवि आद्य-शक्ति-महेश्वरि ।
योगजे योग-सम्भूते महालक्ष्मि नमोऽस्तु ते ॥

६

स्थूल-सूक्ष्म-महा-रौद्रे महा-शक्ति-महोदरे ।
महा-पाप-हरे देवि महालक्ष्मि नमोऽस्तु ते ॥

७

पद्मासन-स्थिते देवि परब्रह्म स्वरूपिणि ।
परमेशि जगन्-मातः महालक्ष्मि नमोऽस्तु ते ॥

८

श्वेताम्बरधरे देवि नानालङ्कार-भूषिते ।
जगत्-स्थिते जगन्-मातः महालक्ष्मि नमोऽस्तु ते ॥

९

महालक्ष्म्यष्टक-स्तोत्रं यः पठेद् भक्तिमान्-नरः ।
सर्व-सिद्धिमवाप्नोति राज्यं प्राप्नोति सर्वदा ॥

१०

एककाले पठेन्नित्यं महापापविनाशनम् ।
द्विकालं यः पठेन्नित्यं धन धान्य समन्वितः ॥

११

त्रिकालं यः पठेन्नित्यं महाशत्रुविनाशनम् ।
महालक्ष्मीर्भवेन्नित्यं प्रसन्ना वरदा शुभा ॥

MAHĀLAKṢMYAṢṬAKAM

1

namaste'stu mahāmāye śrīpīṭhe sura-pūjite,
śaṅkha-cakra-gadā-haste mahālakṣmi namo'stu te.

Verse no. 9, 10 & 11 not included in CD

2

namaste garuḍārūḍhe kolāsura-bhayaṅkari,
sarva-pāpa-hare devi mahālakṣmi namo'stu te.

3

sarvajñe sarva-varade sarva-duṣṭa-bhayaṅkari,
sarva-duḥkha-hare devi mahālakṣmi namo'stu te.

4

siddhi-buddhi-prade devi bhukti-mukti-pradāyini,
mantra-mūrte sadā devi mahālakṣmi namo'stu te.

5

ādyanta-rahite devi ādya-śakti-maheśvari,
yogaje yoga-sambhūte mahālakṣmi namo'stu te.

6

sthula-sukṣma-mahā-raudre mahā-śakti-mahodare,
mahā-pāpa-hare devi mahālakṣmi namo'stu te.

7

padmāsana-sthite devi para-brahma svarūpiṇi,
parameśi jagan-mātaḥ mahalakṣmi namo'stu te.

8

śvetāmbaradhare devi nanalaṅkāra-bhūṣite,
jagat-sthite jagan-mātaḥ mahalakṣmi namo'stu te.

9

mahālakṣmyaṣṭakaṁ-stotraṁ yaḥ paṭhed bhaktimān-naraḥ,
sarva-siddhimavāpnoti rājyaṁ prāpnoti sarvadā.

10

ekakāle paṭhennityaṁ mahāpāpavināśanam,
dvikālaṁ yaḥ paṭhennityaṁ dhana dhānya samanvitaḥ.

11

trikālaṁ yaḥ paṭhennityaṁ mahāśatruvināśanam,
mahālakṣmīrbhavennityaṁ prasannā varadā śubhā.

Verse no. 9, 10 & 11 not included in CD

शारदा स्तोत्रम्

१

नमस्ते शारदे देवि काश्मीर-पुर-वासिनी ।
त्वामहं प्रार्थये नित्यं विद्या-दानं च देहि मे ॥ विद्या-दानं च देहि मे ॥

२

या श्रद्धा धारणा मेधा वाग्-देवी विधि-वल्लभा ।
भक्त-जिह्वाग्र-सदना शमादि-गुण-दायिनी ॥ शमादि-गुण-दायिनी ॥

३

नमामि यामिनी नाथ-लेखालङ्कृत-कुन्तलाम् ।
भवानीं भव-सन्ताप-निर्वापण-सुधा-नदीम् ॥ निर्वापण-सुधा-नदीम् ॥

४

भद्रकाल्यै नमो नित्यं सरस्वत्यै नमो नमः ।
वेद-वेदाङ्ग-वेदान्त-विद्या-स्थानेभ्य एव च ॥ विद्या-स्थानेभ्य एव च ॥

५

ब्रह्म-स्वरूपा परमा ज्योति-रूपा सनातनी ।
सर्व-विद्याधि-देवी या तस्यै वाण्यै नमो नमः ॥ तस्यै वाण्यै नमो नमः ॥

६

यया विना जगत्-सर्वं शश्वज्जीवन्-मृतं भवेत् ।
ज्ञानाधि-देवी या तस्यै सरस्वत्यै नमो नमः ॥ सरस्वत्यै नमो नमः ॥

७

यया विना जगत्-सर्वं मूकमुन्मत्तवत् सदा ।
या देवी वाग्-अधिष्ठात्री तस्यै वाण्यै नमो नमः ॥ तस्यै वाण्यै नमो नमः ॥

SARASVATĪ STOTRAM/ŚĀRADĀ STOTRAM

1

namaste śārade devi kāśmīra-pura-vāsinī,
tvāmahaṁ prārthaye nityaṁ vidyā-dānaṁ ca dehi me.
vidyā-dānaṁ ca dehi me.

2

yā śraddhā dhāraṇā medhā vāg-devī vidhi-vallabhā,
bhakta-jihvāgra-sadanā śamādi- guṇa-dāyinī.
śamādi- guṇa-dāyinī.

3

namāmi yāminī nātha-lekhālaṅkṛta-kuntalām,
bhavānīṁ bhava-santāpa-nirvāpaṇa-sudhā-nadīm.
nirvāpaṇa-sudhā-nadīm.

4

bhadrakālyai namo nityaṁ sarasvatyai namo namaḥ,
veda-vedāṅga-vedānta-vidyā-sthānebhya eva ca.
vidyā-sthānebhya eva ca.

5

brahma-svarūpā paramā jyotī-rūpā sanātanī,
sarva-vidyādhi-devī yā tasyai vāṇyai namo namaḥ.
tasyai vāṇyai namo namaḥ.

6

yayā vinā jagat-sarvaṁ śaśvajjīvan-mṛtaṁ bhavet,
jñānādhi-devī yā tasyai sarasvatyai namo namaḥ.
sarasvatyai namo namaḥ.

7

yayā vinā jagat-sarvaṁ mūkamunmattavat sadā,
yā devī vāg-adhiṣṭhātrī tasyai vāṇyai namo namaḥ.
tasyai vāṇyai namo namaḥ.

महिषासुरमर्दिनि स्तोत्रम् - श्लोकाः १-१०

(Verses 1-10 are given below. For the remaining verses, see Chinmaya Book of Hymns.)

१

अयि गिरि-नन्दिनि नन्दित-मेदिनि
विश्व-विनोदिनि नन्दिनुते
गिरि-वर-विन्ध्य-शिरोधि-निवासिनि
विष्णु-विलासिनि जिष्णुनुते ।

भगवति हे शिति-कण्ठ-कुटुम्बिनि
भूरि-कुटुम्बिनि भूरिकृते
जय जय हे महिषासुर-मर्दिनि
रम्य-कपर्दिनि शैल-सुते ॥

२

सुर-वर-वर्षिणि दुर्धर-धर्षिणि
दुर्मुख-मर्षिणि हर्षरते
त्रिभुवन-पोषिणि शङ्कर-तोषिणि
किल्बिष-मोषिणि घोषरते ।
दनुज-निरोषिणि दिति-सुत-रोषिणि
दुर्मद-शोषिणि सिन्धु-सुते
जय जय हे महिषासुर-मर्दिनि
रम्य-कपर्दिनि शैल-सुते ॥

३

अयि जगदम्ब मदम्ब कदम्ब-
वन-प्रिय-वासिनि हासरते
शिखरि-शिरोमणि-तुङ्ग-हिमालय-
शृङ्ग-निजालय-मध्यगते ।
मधु-मधुरे मधु-कैटभ-गञ्जिनि
कैटभ-भञ्जिनि रासरते
जय जय हे महिषासुर-मर्दिनि
रम्य-कपर्दिनि शैल-सुते ॥

४

अयि शत-खण्ड विखण्डित-रुण्ड-
वितुण्डित-शुण्ड-गजाधिपते
रिपु-गजगण्ड-विदारण-चण्ड-

पराक्रम-शुण्ड-मृगाधिपते ।
निजभुज-दण्ड-निपातित-खण्ड-
विपाटित-मुण्ड-भटाधिपते
जय जय हे महिषासुर-मर्दिनि
रम्य-कपर्दिनि शैल-सुते ॥

५

अयि रण-दुर्मद-शत्रु-वधोदित-
दुर्धर-निर्जर-शक्तिभृते
चतुर-विचार-धुरीण-महाशिव-
दूतकृत-प्रमथाधिपते ।
दुरित-दुरीह-दुराशय-दुर्मति-
दानव-दूत-कृतान्तमते
जय जय हे महिषासुर-मर्दिनि
रम्य-कपर्दिनि शैल-सुते ॥

६

अयि निजहुङ्कृति-मात्र-निराकृत-
धूम्र-विलोचन-धूम्रशते
समर-विशोषित-शोणित-बीज-
समुद्भव-शोणित-बीजलते ।
शिव-शिव-शुम्भ-निशुम्भ-
महाहव-तर्पित-भूत-पिशाचरते
जय जय हे महिषासुर-मर्दिनि
रम्य-कपर्दिनि शैल-सुते ॥

७

धनु-रनु-सङ्ग-रण-क्षण-सङ्ग-
परिस्फुर-दङ्ग-नटत्-कटके
कनक-पिशङ्ग-पृषत्क-निषङ्ग-
रसद्-भट-शृङ्ग-हता-वटुके ।
कृत-चतुरङ्ग-बलक्षिति-रङ्ग-
घटद्-बहुरङ्ग-रटद्-बटुके
जय जय हे महिषासुर-मर्दिनि
रम्य-कपर्दिनि शैल-सुते ॥

८

अयि शरणागत-वैरि-वधूवर-
वीर-वराभय-दायकरे
त्रिभुवन-मस्तक-शूल-विरोधि-
शिरोधि कृतामल-शूलकरे ।
दुमि-दुमि-तामर-दुन्दुभि-नाद-
महो-मुखरी-कृत-तिग्मकरे
जय जय हे महिषासुर-मर्दिनि
रम्य-कपर्दिनि शैल-सुते ॥

९

सुर-ललना-तत-थेयि-तथेयि-
कृता-भिन-योदर-नृत्यरते
कृत-कुकुथः-कुकुथो-गडदादिक-
ताल-कुतूहल-गानरते ।
धु-धु-कुट-धुक्कुट-धिन्-धिमित-
ध्वनि-धीर-मृदङ्ग-निनादरते

जय जय हे महिषासुर-मर्दिनि
रम्य-कपर्दिनि शैल-सुते॥

१०

जय-जय-जप्य-जये जय-शब्द-
परस्तुति-तत्पर-विश्वनुते
झण-झण-झिञ्झिमि-झिङ्कृत-नूपुर-
सिञ्जित-मोहित-भूतपते।
नटित-नटार्ध-नटी-नट-नायक-
नाटित-नाट्यसुगानरते
जय जय हे महिषासुर-मर्दिनि
रम्य-कपर्दिनि शैल-सुते॥

MAHIṢĀSURAMARDINI STOTRAM – VERSES 1-10

1

ayi giri-nandini nandita-medini
viśva-vinodini nandīnute
giri-vara-vindhya-śirodhi-nivāsini
viṣṇu-vilāsini jiṣṇunute,
bhagavati he śiti-kaṇṭha-kuṭumbini
bhūri-kuṭumbini bhūrikṛte
jaya jaya he mahiṣāsura-mardini
ramya-kapardini śaila-sute.

2

sura-vara-varṣiṇi durdhara-dharṣiṇi
durmukha-marṣiṇi harṣarate
tribhuvana-poṣiṇi śaṅkara-toṣiṇi
kilbiṣa-moṣiṇi ghoṣarate,

danuja-niroṣiṇi diti-suta-roṣiṇi
durmada-śoṣiṇi sindhu-sute
jaya jaya he mahiṣāsura-mardini
ramya-kapardini śaila-sute.

3

ayi jagadamba madamba kadamba-
vana-priya-vāsini hāsarate
śikhari-śiromaṇi-tuṅga-himālaya-
śṛṅga-nijālaya-madhyagate,
madhu-madhure madhu-kaiṭabha-gañjini
kaiṭabha-bhañjini rāsarate
jaya jaya he mahiṣāsura-mardini
ramya-kapardini śaila-sute.

4

ayi śata-khaṇḍa-vikhaṇḍita-ruṇḍa-
vituṇḍita-śuṇḍa-gajādhipate
ripu-gajagaṇḍa-vidāraṇa-caṇḍa-
parākrama-śuṇḍa-mṛgādhipate,
nijabhuja-daṇḍa-nipātita-khaṇḍa-
vipāṭita-muṇḍa-bhaṭādhipate
jaya jaya he mahiṣāsura-mardini
ramya-kapardini śaila-sute.

5

ayi raṇa-durmada-śatru-vadhodita-
durdhara-nirjara-śakti-bhṛte
catura-vicāra-dhurīṇa-mahāśiva-

dūtakṛta-pramathādhipate,
durita-durīha-durāśaya-durmati-
dānava-dūta-kṛtāntamate
jaya jaya he mahiṣāsura-mardini
ramya-kapardini śaila-sute.

6

ayi nijahuṅkṛti-mātra-nirākṛta-
dhūmra-vilocana-dhūmraśate
samara-viśoṣita-śoṇita-bīja-
samudbhava-śoṇita-bījalate,
śiva-śiva-śumbha-niśumbha-
mahāhava-tarpita-bhūta-piśācarate
jaya jaya he mahiṣāsura-mardini
ramya-kapardini śaila-sute.

7

dhanu-ranu-saṅga-raṇa-kṣana-saṅga-
parisphura-daṅga-naṭat-kaṭake
kanaka-piśaṅga-pṛṣatka-niṣaṅga-
rasad-bhaṭa-śṛṅga-hatā-vaṭuke,
kṛta-caturaṅga-balakṣiti-raṅga-
ghaṭad-bahuraṅga-raṭad-baṭuke
jaya jaya he mahiṣāsura-mardini
ramya-kapardini śaila-sute.

8

ayi śaraṇāgata-vairi-vadhūvara-
vīra-varābhaya-dāyakare

tribhuvana-mastaka-śūla-virodhi-
śirodhi kṛtāmala-śūlakare,
dumi-dumi-tāmara-dundubhi-nāda-
maho-mukharī-kṛta-tigmakare
jaya jaya he mahiṣāsura-mardini
ramya-kapardini śaila-sute.

9

sura-lalanā-tata-theyi-tatheyi-
kṛtā-bhina-yodara-nṛtyarate
kṛta-kukuthaḥ-kukutho-gaḍadādika-
tāla-kutūhala-gānarate,
dhu-dhu-kuṭa-dhukkuṭa-dhin-dhimita-
dhvani-dhīra-mṛdaṅga-ninādarate
jaya jaya he mahiṣāsura-mardini
ramya-kapardini śaila-sute.

10

jaya-jaya-japya-jaye jaya-śabda-
parastuti-tatpara-viśvanute
jhaṇa-jhaṇa-jhiñjhimi-jhiṅkṛta-nūpura-
siñjita-mohita-bhūtapate,
naṭita-naṭārdha-naṭī-naṭa-nāyaka-
nāṭita-nāṭyasugānarate
jaya jaya he mahiṣāsura-mardini
ramya-kapardini śaila-sute.

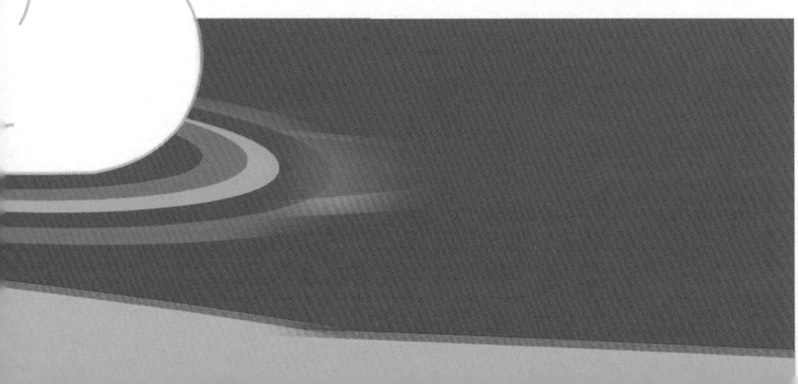

मातृस्तवनम्

रचना - स्वामी तेजोमयानन्द

१
मातुराशिषा वन्दिता भुवि। सन्ति हि नरो नन्दिता दिवि॥
२
धारितोऽस्म्यहं स्वोदरे त्वया। पालितोऽस्म्यहं स्वस्तने त्वया॥
३
शिशुरहं यदा केलिलम्पटः। न श्रुतं मया ते तदा वचः॥
४
शिक्षणे मम न च कदा रुचिः। सा त्वया कृता वर्धिता मतिः॥
५
बाल-वर्तनं कष्ट-दायकम्। मन्यसे तु तद् हर्ष-कारणम्॥
६
रोग-पीडितो यत्-कदाप्यहम्। सेवसे तदा मामहर्निशम्॥
७
विस्मराम्यहं ते कथं कृतम्। मत्-कृते सदा प्रेम-संयुतम्॥
८
पश्यसि गुणं सर्वदा मम। अवगुणं तु मे नेक्षसे कथम्॥
९
इयम्-उदारता त्वयि च वर्तते। नेतरत्र सा जगति दृश्यते॥
१०
दुर्लभा न हि बान्धवा भुवि। जननी दुर्लभा त्वत्समा अयि॥
११
मातृ-देवो यद् भव श्रुतं मया। भावयाम्यहं तत्-च सर्वदा॥
१२
मातरि नरो देवमीक्षते। सर्वतोऽपि तं स हि निरीक्षते॥
१३
अथ मयार्चनं वन्दनं कृतम्। तव च कीर्तनं पाद-सेवनम्॥

१४

जननि तेऽप्यहं सर्वदा ऋणी। भक्तिरस्तु मे निश्चला त्वयि॥

१५

अम्ब त्वामहं प्रार्थये सदा। आशिषश्च त्वं देहि मे मुदा॥(२)

MĀTṚSTAVANAM

'Hymn to Mother' by Pūjya Guruji Swami Tejomayananda

1

māturāśiṣā vanditā bhuvi, santi hi naro nanditā divi.

2

dhārito'smyahaṁ svodare tvayā, pālito'smyahaṁ svastane tvayā.

3

śiśurahaṁ yadā kelilampaṭaḥ, na śrutaṁ mayā te tadā vacaḥ.

4

śikṣaṇe mama na ca kadā ruciḥ, sā tvayā kṛtā vardhitā matiḥ.

5

bāla-vartanaṁ kaṣṭa-dāyakam, manyase tu tad harṣa-kāraṇam.

6

roga-pīḍito yat-kadāpyaham, sevase tadā māmaharniśam.

7

vismarāmyahaṁ te kathaṁ kṛtam, mat-kṛte sadā prema-saṁyutam.

8

paśyasi guṇaṁ sarvadā mama, avaguṇaṁ tu me nekṣase katham.

9

iyam-udāratā tvayi ca vartate, netaratra sā jagati dṛśyate.

10

durlabhā na hi bāndhavā bhuvi, jananī durlabhā tvatsamā ayi.

11

mātṛ-devo yad bhava śrutaṁ mayā, bhāvayāmyahaṁ tat-ca sarvadā.

12

mātari naro devamīkṣate, sarvato'pi taṁ sa hi nirīkṣate.

13

atha mayārcanaṁ vandanaṁ kṛtam, tava ca kīrtanaṁ pāda-sevanam.

14

janani te'pyahaṁ sarvadā ṝṇī, bhaktirastu me niścalā tvayi.

15

amba tvāmahaṁ prārthaye sadā, āśiṣaśca tvaṁ dehi me mudā. (2)

1

With mother's blessings alone men become worshipful in this world and rejoice in heaven too.

2

You carried me in your womb and nourished me with your milk.

3

As a child, when engrossed in play, I seldom heeded your words.

4

When I had no interest in studies, you fashioned my interest and enhanced my knowledge.

5

Indeed, the pranks of a child give trouble. But, you consider them a source of joy.

6

Whenever I am sick, you nurse me day and night.

7

How can I ever forget all that which you did for me always with so much love!

8

How is it that you ever see my virtues alone, but never my many faults?

9

This large-heartedness exists in you alone and that is never seen anywhere else in the world.

10

Ah! In this world relatives are not infrequent, but a mother like you is incomparable indeed.

11

I ever cherish that which I have heard:, 'May you be the one who worships mother as God'.

12

He who sees God in his own mother, he alone sees Him everywhere too.

13

Therefore, I worship and salute you, and I sing your glories, and serve your feet.

14

O mother! I remain ever indebted to you. May my devotion to you be unwavering.

15

O mother! I beseech you to gladly shower your blessings on me always.

भजन

BHAJANS

१

अम्बां भजामि । जगदम्बां भजामि । (२)
अम्बां भजामि । जगदम्बां भजामि । त्रिपुराम्बां भजामि ।
शारदाम्बां भजामि ॥ (२)
अम्बां भजामि । जगदम्बां भजामि (२)
जगदम्बां भजामि ॥

1

ambāṁ bhajāmi, jagadambāṁ bhajāmi, (2)
ambāṁ bhajāmi, jagadambāṁ bhajāmi, tripurāmbāṁ bhajāmi,

śāradāmbāṁ bhajāmi. (2)
ambāṁ bhajāmi, jagadambāṁ bhajāmi, (2)
jagadambāṁ bhajāmi.

२

अम्बा परमेश्वरि अखिलाण्डेश्वरि (२)
आदि पराशक्ति पालय माम्॥ (२)
अम्बा परमेश्वरि अखिलाण्डेश्वरि आदि पराशक्ति पालय माम्॥
अम्बा परमेश्वरि अखिलाण्डेश्वरि राज-राजेश्वरि पालय माम्॥ (२)
अम्बा परमेश्वरि अखिलाण्डेश्वरि चामुण्डेश्वरि पालय माम्॥ (२)
अम्बा परमेश्वरि अखिलाण्डेश्वरि आदि पराशक्ति पालय माम्॥
पालय माम्॥ (२)

2

ambā parameśvari akhilāṇḍeśvari (2) ādi parāśakti pālaya mām. (2)
ambā parameśvari akhilāṇḍeśvari ādi parāśakti pālaya mām.
ambā parameśvari akhilāṇḍeśvari rāja-rājeśvari pālaya mām. (2)
ambā parameśvari akhilāṇḍeśvari cāmuṇḍeśvari pālaya mām. (2)
ambā parameśvari akhilāṇḍeśvari ādi parāśakti pālaya mām.
pālaya mām.(2)

३

शारदे विशारदे दयानिधे कलानिधे॥ (६)

3

śārade viśārade dayanidhe kalānidhe. (6)

४

जय दुर्गा लक्ष्मी सरस्वती। माम् पाहि जगन्माता। (२)
पाहि जगन्माता। माम् पाहि जगन्माता।

त्राहि जगन्माता। माम् पाहि जगन्माता॥
जय दुर्गा लक्ष्मी सरस्वती। माम् पाहि जगन्माता। (२)
माम् पाहि जगन्माता (२)

4

jaya durgā lakṣmī sarasvatī, mām pāhi jaganmātā, (2)
pāhi jaganmātā, mām pāhi jaganmātā,
trāhi jaganmātā, mām pāhi jaganmātā.
jaya durgā lakṣmī sarasvatī, mām pāhi jaganmātā, (2)
mām pāhi jaganmātā. (2)

५

सरस्वती-देवी वीणा-वादिनि-वर दे। (२)
वर दे॥ (१०)
सरस्वती-देवी वीणा-वादिनि-वर दे।
विद्या-दायिनी तू है। ब्रह्मा-देवी तू है।
बुद्धि-दायिनी तू है। हम बच्चों को वर दे॥
वर दे॥ (१०)
सरस्वती-देवी वीणा-वादिनि-वर दे।
हंस-वाहिनी तू है। सब कला-दायिनी तू है।
वाग्-देवी भी तू है। हम बच्चों को वर दे॥
वर दे॥ (१०)
सरस्वती-देवी वीणा-वादिनि-वर दे।
गीत-बोधिनी तू है। शास्त्र-दायिनी तू है।
संगीता भी तू है। हम बच्चों को वर दे॥
वर दे॥ (१०)
सरस्वती-देवी वीणा-वादिनि-वर दे।
सा सा नि नि प प म म। नि नि प प म म ग ग।

प प म म ग ग सा सा । - सा ग सा - सा ग सा ॥
सरस्वती-देवी वीणा-वादिनि-वर दे । (२) वर दे ॥(३)
वर दे ॥ (१३)
सरस्वती-देवी वीणा-वादिनि-वर दे ।

5

sarasvatī-devī vīṇā-vādini-vara de,(2)
vara de. (10)
sarasvatī-devī vīṇā-vādini-vara de
vidyā-dāyinī tū hai, brahmā-devī tū hai,
buddhi-dāyinī tū hai, hama baccoṁ ko vara de.
vara de. (10)
sarasvatī-devī vīṇā-vādini-vara de
haṁsa-vāhinī tū hai, saba kala-dāyinī tū hai,
vāg-devī bhī tū hai, hama baccoṁ ko vara de.
vara de. (10)
sarasvatī-devī vīṇā-vādini-vara de
gīta-bodhinī tū hai, śāstra-dāyinī tū hai,
saṅgītā bhī tū hai, hama baccoṁ ko vara de.
vara de. (10)
sarasvatī-devī vīṇā-vādini-vara de
sā sā ni ni pa pa ma ma, ni ni pa pa ma ma ga ga,
pa pa ma ma ga ga sā sā, - sā ga sā - sā ga sā.
sarasvatī-devī vīṇā-vādini-vara de,(2) vara de.(3)
vara de. (13)
sarasvatī-devī vīṇā-vādini-vara de

६

महालक्ष्मी जगन्माता मधु-सूदन-प्रिय मन-मोहिनी । (२)
आदि-लक्ष्मी । धन-धान्य-लक्ष्मी । सौभाग्य-लक्ष्मी । सन्तान-लक्ष्मी ।

वीर्य-लक्ष्मी। धैर्य-लक्ष्मी। श्री वर-लक्ष्मी। पाहि माम्॥
चञ्चला सुमङ्गला वसुन्धरा वसुप्रदा।
पद्मिनी सुनन्दिनी निरञ्जनी भार्गवी।
अमले कमले विमले हरि वल्लभे शुभे।
मन्द-हास-चन्द्र-वदन-शीतलां नमाम्यहम्॥ (२)
महालक्ष्मी जगन्माता मधु-सूदन-प्रिय मन-मोहिनी।
मधु-सूदन-प्रिय मन-मोहिनी॥ (२)

6

mahālakṣmī jaganmātā madhu-sūdana-priya mana-mohinī,(2)
ādi-lakṣmī, dhana-dhānya-lakṣmī, saubhāgya-lakṣmī, santāna-lakṣmī,
vīrya-lakṣmī, dhairya-lakṣmī, śrī vara-lakṣmī, pāhi mām.
cañcalā sumaṅgalā vasundharā vasupradā,
padminī sunandinī nirañjanī bhārgavī,
amale kamale vimale hari vallabhe śubhe,
manda-hāsa-candra-vadana-śītalāṁ namāmyaham. (2)
mahālakṣmī jaganmātā madhu-sūdana-priya mana-mohinī,
madhu-sūdana-priya mana-mohinī. (2)

७

हे शारदे माँ। हे शारदे माँ। अज्ञानता से हमें तार दे माँ॥ (२)
तू स्वर की देवी है संगीत तुझसे। हर शब्द तेरा है हर गीत तुझसे। (२)
हम हैं अकेले हम हैं अधूरे। तेरी शरण हम हमें प्यार दे माँ॥
हे शारदे माँ। हे शारदे माँ। अज्ञानता से हमें तार दे माँ॥
हे शारदे माँ। हे शारदे माँ। हे शारदे माँ॥
मुनियों ने समझी गुनियों ने जानी। वेदों की भाषा पुराणों की बानी। (२)
हम भी तो समझें हम भी तो जानें। विद्या का हमको अधिकार दे माँ॥

हे शारदे माँ। हे शारदे माँ। अज्ञानता से हमें तार दे माँ॥
हे शारदे माँ। हे शारदे माँ। हे शारदे माँ॥
तू श्वेतवर्णी कमल पर बिराजे। हाथों में वीणा मुकुट सर पे साजे। (२)
मन से हमारे मिटा के अंधेरे। हमको उजालों का संसार दे माँ॥
हे शारदे माँ। हे शारदे माँ। अज्ञानता से हमें तार दे माँ॥
हे शारदे माँ। हे शारदे माँ। हे शारदे माँ॥

7

he śārade mām̐, he śārade mām̐, ajñānatā se hameṁ tāra de mām̐. (2)
tu svara kī devī hai saṅgīta tujhase, hara śabda terā hai hara gīta tujhase, (2)
hama haiṁ akele hama haiṁ adhūre, terī śaraṇa hama hameṁ pyāra de mām̐.
he śārade mām̐, he śārade mām̐, ajñānatā se hameṁ tāra de mām̐.
he śārade mām̐, he śārade mām̐, he śārade mām̐.
muniyoṁ ne samajhī guniyoṁ ne jānī, vedoṁ kī bhāṣā purāṇoṁ kī bānī, (2)
hama bhī to samajheṁ hama bhīto jāneṁ, vidyā kā hamako adhikāra de mām̐.
he śārade mām̐, he śārade mām̐, ajñānatā se hameṁ tāra de mām̐.
he śārade mām̐, he śārade mām̐, he śārade mām̐.
tu śvetavarṇī kamala para birāje, hāthoṁ meṁ vīṇā mukuṭa sara pe sāje, (2)
mana se hamāre miṭā ke andhere, hamako ujāloṁ kā saṁsāra de mām̐.
he śārade mām̐, he śārade mām̐, ajñānatā se hameṁ tāra de mām̐.
he śārade mām̐, he śārade mām̐, he śārade mām̐.

श्री गुरु
ŚRĪ GURU

Did you know . . . ?

Gu means 'ignorance' and ru means 'remover.' The Guru is he/she who removes our ignorance or our wrong thinking about ourselves and this world, and shows us our true purpose in life.

Our spiritual Guru is none other than God Himself. God takes the form of the Guru to teach us how to reach Him and know Him, and how to live righteously in this world – just as Lord Kṛṣṇa taught Arjuna in *Śrīmad Bhagavad-gītā.*

On the sacred day of Guru Pūrṇimā (in the honour of Mahārṣi Vedavyāsa), every year the student offers his gratitude to him through pūjā and dakśiṇa (donation, clothes, or whatever the disciple can afford). The best offering is to share our Guru's teachings with all those who are interested, so that the whole world benefits from them.

Having a saint or your Guru visit your home is a great blessing. By offering him/her bhikṣā (food), the entire family is blessed with the prasād of love for God, peace, and joy.

When a saint or mahātmā visits your home, receive him at your doorstep with a pūrṇa-kumbha (kalaśa with little water in it, a coconut on top of it, mango leaves under the coconut, and Lord Gaṇeśa's holy svastika symbol drawn on the kalaśa in red kuṁkum) and a decorated ārati thālī (with oil lamp, candle, or camphor lamp, flowers, yellow rice, kuṁkum to apply tilak). It would be nice to offer a flower garland also.

When a saint leaves your home after his/her stay, it is vaidika tradition to offer him gurudakṣiṇā (an offering for his cause, a token of our love and gratitude to him for blessing our home). Most people give money and ask the saint if he needs any personal items.

True surrender to one's Guru means following his teachings and living a spiritual life at every moment—whether at home, school, work, or play.

In our Guru-lineage, Pūjya Swami Tapovanam and Pūjya Swami Sivananda (pronounced 'shivananda') taught and initiated Pūjya Gurudev Swami Chinmayananda. Pūjya Gurudev initiated and taught our Pūjya Guruji Swami Tejomayananda. Till today, we all continue to learn through the grace of our guru-paraṁparā.

A saint, or realised Master - he/she who is one with God - never has a birthday (jayanti) or deathday (mahāsamādhi). Yet, we observe both days to always remember and be grateful for the rare treasure of the Guru in our lives. Remember these dates:

Śrī Tapovan Jayanti is celebrated on Gītā Jayanti day (usually every December).

Śrī Chinmaya Jayanti is celebrated on May 8.

Pūjya Swami Tejomayananda's birthday is celebrated on June 30.

Śrī Chinmaya Mahāsamādhi is observed on August 3.

The Gurustotram is originally from *Guru-gītā,* the teachings of Lord Śiva to mother Pārvatī. The last verse was originally said in praise of Lord Kṛṣṇa by mother Gāndhārī (the mother of the kauravas in the *Mahābhārata*).

Our mahāmantra for Pūjya Gurudev is 'om Śrī chinmaya sadgurave namaḥ.'

ध्यान श्लोकः
(dhyāna ślokaḥ)
INVOCATIONS

१

ब्रह्मानन्दं परम-सुखदं केवलं ज्ञान-मूर्तिम् ।
द्वन्द्वातीतं गगन-सदृशं तत्त्वमस्यादि-लक्ष्यम् ।
एकं नित्यं विमलं-अचलं सर्वधी-साक्षिभूतम् ।
भावातीतं त्रिगुण-रहितं सद्गुरुं तं नमामि ॥

1

brahmānandaṁ parama-sukhadaṁ kevalaṁ jñāna-mūrtim,
dvandvātītaṁ gagana-sadṛśaṁ tattvamasyādi-lakṣyam,
ekaṁ nityaṁ vimalaṁ-acalaṁ sarvadhī-sākṣi-bhūtam,
bhāvātītaṁ triguṇa-rahitaṁ sadguruṁ taṁ namāmi.

I salute that noble Guru whose nature is the bliss of Brahman; who grants supreme joy; who is the Absolute, the embodiment of Self-knowledge, beyond the pairs of opposites (heat and cold, happiness and misery), comparable to space, indicated by statements like 'That thou art,' the One, the Eternal, the Pure, the Unmoving, and the Witness of all thoughts. I salute the One who is beyond expression and devoid of the three attributes
(sattva, rajas, tamas).

२

गुकारो अन्धकारो वै रुकारस्तन्निवर्तकः ।
अन्धकार निरोधित्वात् गुरुरित्यभिधीयते ॥

2

gukāro andhakāro vai rukārastannivartakaḥ,
andhakāra nirodhitvāt gururityabhidhīyate.

The Sanskrit syllable 'gu' represents darkness (ignorance) and 'ru' represents the one who removes it. Thus, the one who removes our ignorance is called 'guru.'

३

सदाशिव-समारम्भां शङ्कराचार्य-मध्यमाम् ।
अस्मद्-आचार्य पर्यन्तां वन्दे गुरु-परम्पराम् ॥

3

sadāśiva-samārambhaṁ śaṅkarācārya-madhyamām,
asmad-ācārya paryantāṁ vande guru-paramparām.

I salute the sacred Guru-paramparā (lineage of gurus), which begins from the ever auspicious Lord Śiva, in the midst of which (lineage) is Ādi Śaṅkarācārya, and which comes up to my Gurudev.

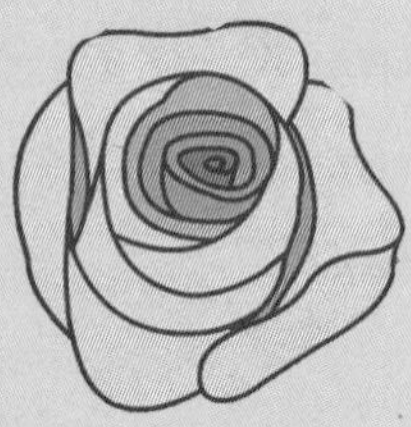

४

श्रुति-स्मृति-पुराणानाम् आलयं करुणालयम् ।
नमामि भगवत्-पाद-शङ्करं लोक-शङ्करम् ॥

4

śruti-smṛti-purāṇānām ālayaṁ karuṇālayam,
namāmi bhagavat-pāda-śaṅkaraṁ loka-śaṅkaram.

I salute Ādi Śaṅkara, the abode of the Vedas, smṛtis, and purāṇas. He is the everlasting resort of mercy and bestower of peace on the whole world.

५

शङ्करं शङ्कराचार्यं केशवं बादरायणम्।

सूत्र-भाष्य-कृतौ वन्दे भगवन्तौ पुनः पुनः॥

5

śaṅkaraṁ śaṅkarācāryaṁ keśavaṁ bādarāyaṇam,

sūtra-bhāṣya-kṛtau vande bhagavantau punaḥ punaḥ.

I repeatedly salute the two forms of God – Ādi Śaṅkara who is Lord Śiva, and Vedavyāsa (Sage Bādarāyaṇa) who is Lord Kṛṣṇa–who wrote their expositions and commentaries on the Vedas and Upaniṣads.

गुरु स्तोत्रम्

१

अखण्ड-मण्डला-कारं व्याप्तं येन चराचरम्।

तत्-पदं दर्शितं येन तस्मै श्री गुरवे नमः॥

२

अज्ञान-तिमिरान्धस्य ज्ञानाञ्जन-शलाकया।

चक्षुरुन्मीलितं येन तस्मै श्री गुरवे नमः॥

३

गुरुर्ब्रह्मा गुरुर्विष्णुः गुरुर्देवो महेश्वरः।

गुरुरेव परं ब्रह्म तस्मै श्री गुरवे नमः॥

४

स्थावरं जङ्गमं व्याप्तं यत्-किञ्चित् सचराचरम्।

तत्-पदं दर्शितं येन तस्मै श्री गुरवे नमः॥

५

चिन्मयं व्यापि यत्-सर्वं त्रैलोक्यं सचराचरम्।

तत्-पदं दर्शितं येन तस्मै श्री गुरवे नमः॥

६

सर्व-श्रुति-शिरोरत्न विराजित पदाम्बुजः।
वेदान्ताम्बुज-सूर्योयः तस्मै श्री गुरवे नमः॥

७

चैतन्यः शाश्वतः शान्तः व्योमातीतो निरञ्जनः।
बिन्दु-नाद-कलातीतः तस्मै श्री गुरवे नमः॥

८

ज्ञान-शक्ति समारूढः तत्त्व-माला विभूषितः।
भुक्ति-मुक्ति-प्रदाता च तस्मै श्री गुरवे नमः॥

९

अनेक-जन्म-सम्प्राप्त कर्म-बन्ध विदाहिने।
आत्म-ज्ञान-प्रदानेन तस्मै श्री गुरवे नमः॥

१०

शोषणं भव-सिन्धोश्च ज्ञापनं सार-सम्पदः।
गुरोः पादोदकं सम्यक् तस्मै श्री गुरवे नमः॥

११

न गुरोरधिकं तत्त्वं न गुरोरधिकं तपः ।
तत्त्व-ज्ञानात् परं नास्ति तस्मै श्री गुरवे नमः ॥

१२

मन्नाथः श्री जगन्नाथः मद्गुरुः श्री जगद्-गुरुः ।
मदात्मा सर्व-भूतात्मा तस्मै श्री गुरवे नमः ॥

१३

गुरुरादिरनादिश्च गुरुः परम-दैवतम् ।
गुरोः परतरं नास्ति तस्मै श्री गुरवे नमः ॥

१४

त्वमेव माता च पिता त्वमेव । त्वमेव बन्धुश्च सखा त्वमेव ।
त्वमेव विद्या द्रविणं त्वमेव । त्वमेव सर्वं मम देव देव ॥

GURU STOTRAM

1

akhaṇḍa-maṇḍalā-kāraṁ vyāptaṁ yena carācaram,
tat-padaṁ darśitaṁ yena tasmai śrī gurave namaḥ.

2

ajñāna-timirāndhasya jñānāñjana-śalākayā,
cakṣurunmīlitaṁ yena tasmai śrī gurave namaḥ.

3

gururbrahmā gururviṣṇuḥ gururdevo maheśvaraḥ,
gurureva paraṁ brahma tasmai śrī gurave namaḥ.

4

sthāvaraṁ jaṅgamaṁ vyāptaṁ yat-kiñcit sacarācaram,
tat-padaṁ darśitaṁ yena tasmai śrī gurave namaḥ.

5

cinmayaṁ vyāpi yat-sarvaṁ trailokyaṁ sacarācaram,
tat-padaṁ darśitaṁ yena tasmai śrī gurave namaḥ.

6

sarva-śruti-śiroratna virājita padāmbujaḥ,
vedāntāmbuja-sūryoyaḥ tasmai śrī gurave namaḥ.

7

caitanyaḥ śāśvataḥ śāntaḥ vyomātīto nirañjanaḥ,
bindu-nāda-kalātītaḥ tasmai śrī gurave namaḥ.

8

jñāna-śakti samārūḍhaḥ tattva-mālā vibhūṣitaḥ,
bhukti-mukti-pradātā ca tasmai śrī gurave namaḥ.

9

aneka-janma-samprāpta karma-bandha vidāhine,
ātma-jñāna-pradānena tasmai śrī gurave namaḥ.

10

śoṣaṇaṁ bhava-sindhośca jñāpanaṁ sāra-sampadaḥ,
guroḥ pādodakaṁ samyak tasmai śrī gurave namaḥ.

11

na guroradhikaṁ tattvaṁ na guroradhikaṁ tapaḥ,
tatva-jñānāt paraṁ nāsti tasmai śrī gurave namaḥ.

12

mannāthaḥ śrī jagannāthaḥ madguruḥ śrī jagad-guruḥ,
madātmā sarva-bhūtātmā tasmai śrī gurave namaḥ.

13

gururādiranādiśca guruḥ parama-daivatam,
guroḥ parataraṁ nāsti tasmai śrī gurave namaḥ.

14

tvameva mātā ca pitā tvameva, tvameva bandhuśca sakhā tvameva,
tvameva vidyā draviṇaṁ tvameva, tvameva sarvaṁ mama deva deva.

चिन्मय अष्टोत्तरशत नामावलिः (१०८ नाम)

ॐ अजाय नमः।

ॐ अव्ययाय नमः।

ॐ अविनाशिने नमः।

ॐ अचिन्त्याय नमः।

ॐ अप्रमेयाय नमः।

ॐ अद्वितीयाय नमः।

ॐ अनिकेताय नमः।

ॐ अनुशासन-प्रियाय नमः।

ॐ अन्तःसाक्षिणे नमः।

ॐ अन्तर्यामिने नमः।

ॐ आनन्दाय नमः।

ॐ आत्म-स्वरूपाय नमः।

ॐ आंग्ल-भाषा-विदुत्तमाय नमः।

ॐ ईश्वराय नमः।
ॐ उदार-हृदयाय नमः।
ॐ उत्साह-वर्धकाय नमः।
ॐ एकस्मै नमः।
ॐ ओंकारविदे नमः।
ॐ करुणा-सागराय नमः।
ॐ कर्म-परायणाय नमः।
ॐ कालातीताय नमः।
ॐ कैवल्य-स्वरूपाय नमः।
ॐ कृतात्मने नमः।
ॐ कृत-कृत्याय नमः।
ॐ गीता ज्ञान-यज्ञ-प्रचारकाय नमः।
ॐ गुरवे नमः।
ॐ गुणातीताय नमः।
ॐ ग्रन्थ-कृते नमः।
ॐ चिन्मयाय नमः।
ॐ छिन्न-संशयाय नमः।
ॐ जगदात्मने नमः।
ॐ जगत्-साक्षिणे नमः।
ॐ जन-प्रियाय नमः।
ॐ जितेन्द्रियाय नमः।
ॐ जीव-ब्रह्मैक्यविदे नमः।
ॐ जीवन्मुक्ताय नमः।
ॐ जीर्ण-मन्दिरोद्धारकाय नमः।
ॐ तपोवन-शिष्याय नमः।
ॐ तपस्विने नमः।

ॐ ताप-नाशनाय नमः।

ॐ तीर्थ-स्वरूपाय नमः।

ॐ तेजस्विने नमः।

ॐ देहातीताय नमः।

ॐ द्वन्द्वातीताय नमः।

ॐ दृढ-निश्चयाय नमः।

ॐ धर्म-संस्थापकाय नमः।

ॐ धीमते नमः।

ॐ धीराय नमः।

ॐ धैर्य-प्रदाय नमः।

ॐ नारायणाय नमः।

ॐ निजानन्दाय नमः।

ॐ निरपेक्षाय नमः।

ॐ निःस्पृहाय नमः।

ॐ निरुपमाय नमः।

ॐ निर्विकल्पाय नमः।

ॐ नित्याय नमः।

ॐ निरञ्जनाय नमः।

ॐ परमाय नमः।

ॐ पर-ब्रह्मणे नमः।

ॐ पावनाय नमः।

ॐ पावकाय नमः।

ॐ पुरुषोत्तमाय नमः।

ॐ प्रसन्नात्मने नमः।

ॐ फलासक्ति-रहिताय नमः।

ॐ बहु-भक्ताय नमः।

ॐ बन्ध-मोचकाय नमः।

ॐ ब्रह्म-निष्ठाय नमः।

ॐ ब्रह्म-पराय नमः।

ॐ भय-नाशनाय नमः।

ॐ भारत-गौरवाय नमः।

ॐ भूम्ने नमः।

ॐ महा-वाक्योपदेशकाय नमः।

ॐ महर्षये नमः।

ॐ मधुर-स्वभावाय नमः।

ॐ मनोहराय नमः।

ॐ महात्मने नमः।

ॐ मेधाविने नमः।

ॐ यतात्मने नमः।

ॐ यज्ञकृते नमः।

ॐ लोक-प्रसिद्धाय नमः।

ॐ वाग्मिने नमः।

ॐ विभवे नमः।

ॐ विनोद-प्रियाय नमः।

ॐ विनय-शीलाय नमः।

ॐ वीतरागाय नमः।

ॐ वेदान्त-वेद्याय नमः।

ॐ शान्ताय नमः।

ॐ शान्ति-प्रदाय नमः।

ॐ शास्त्रोद्धारकाय नमः।

ॐ शुद्ध-सत्त्वाय नमः।

ॐ श्रुति-पारगाय नमः।

ॐ श्रोत्रियाय नमः।
ॐ संन्यासिने नमः।
ॐ समबुद्धये नमः।
ॐ सच्चिदानन्दाय नमः।
ॐ सर्व-हितचिन्तकाय नमः।
ॐ सत्य-सङ्कल्पाय नमः।
ॐ सन्तुष्टाय नमः।
ॐ साधवे नमः।
ॐ सुमनसे नमः।
ॐ सुहृदे नमः।
ॐ स्वयं-ज्योतिषे नमः।
ॐ स्थित-प्रज्ञाय नमः।
ॐ क्षमा-शीलाय नमः।
ॐ ज्ञान-मूर्तये नमः।
ॐ ज्ञान-योगिने नमः।
ॐ ज्ञान-तृप्ताय नमः।
ॐ नित्य-शुद्ध-बुद्ध-मुक्त-स्वरूपाय नमः। (३)
ॐ श्री चिन्मय सद्गुरवे नमः॥

Chinmaya Aṣṭottaraśata Nāmāvaliḥ (108 Names)

om ajāya namaḥ,
om avyayāya namaḥ,
om avināśine namaḥ,
om acintyāya namaḥ,
om aprameyāya namaḥ,
om advitīyāya namaḥ,

om aniketāya namaḥ,
om anuśāsana-priyāya namaḥ,
om antaḥsākṣiṇe namaḥ,
om antaryāmine namaḥ,
om ānandāya namaḥ,
om ātma-svarūpāya namaḥ,
om āṅgla-bhāṣā-viduttamāya namaḥ,
om īśvarāya namaḥ,
om udāra-hṛdayāya namaḥ,
om utsāha-vardhakāya namaḥ,
om ekasmai namaḥ,
om oṅkāravide namaḥ,
om karuṇā-sāgarāya namaḥ,
om karma-parāyaṇāya namaḥ ,
om kālātītāya namaḥ,
om kaivalya-svarūpāya namaḥ,
om kṛtātmane namaḥ,
om kṛta-kṛtyāya namaḥ,
om gītā jñāna-yajña-pracārakāya namaḥ,
om gurave namaḥ,
om guṇātītāya namaḥ,
om grantha-kṛte namaḥ,
om cinmayāya namaḥ,
om chinna-saṁśayāya namaḥ ,
om jagadātmane namaḥ,
om jagat-sākṣiṇe namaḥ,
om jana-priyāya namaḥ,
om jitendriyāya namaḥ,
om jīva-brahmaikyavide namaḥ,
om jīvanmuktāya namaḥ,
om jīrṇa-mandiroddhārakāya namaḥ,
om tapovana-śiṣyaya namaḥ,

om tapasvine namaḥ,
om tāpa-nāśanāya namaḥ,
om tīrtha-svarūpāya namaḥ,
om tejasvine namaḥ,
om dehātītāya namaḥ,
om dvandvātītāya namaḥ,
om dṛḍha-niścayāya namaḥ,
om dharma-saṁsthāpakāya namaḥ,
om dhīmate namaḥ,
om dhīrāya namaḥ,
om dhairya-pradāya namaḥ,
om nārayāṇāya namaḥ,
om nijānandāya namaḥ,
om nirapekṣāya namaḥ,
om niḥspṛhāya namaḥ,
om nirupamāya namaḥ,
om nirvikalpāya namaḥ,
om nityāya namaḥ,
om nirañjanāya namaḥ,
om paramāya namaḥ,
om para-brahmaṇe namaḥ,
om pāvanāya namaḥ,
om pāvakāya namaḥ,
om puruṣottamāya namaḥ,
om prasannatmāne namaḥ,
om phalāsakti-rahitāya namaḥ,
om bahu-bhaktāya namaḥ,
om bandha-mocakāya namaḥ,
om brahma-niṣṭhāya namaḥ,
om brahma-parāya namaḥ,
om bhaya-nāśanāya namaḥ,
om bhārata-gauravāya namaḥ,

om bhūmne namaḥ,
om mahā-vākyopadeśakāya namaḥ,
om maharṣaye namaḥ,
om madhura-svabhāvāya namaḥ,
om manoharāya namaḥ,
om mahātmane namaḥ,
om medhāvine namaḥ,
om yatātmane nama,
om yajñakṛte namaḥ,
om loka-prasiddhāya namaḥ,
om vāgmine namaḥ,
om vibhave namaḥ,
om vinoda-priyāya namaḥ,
om vinaya-śīlāya namaḥ,
om vītarāgāya namaḥ,
om vedānta-vedyāya namaḥ,
om śāntāya namaḥ,
om śānti-pradāya namaḥ,
om śāstroddhārakāya namaḥ,
om śuddha-sattvāya namaḥ,
om śruti-pāragāya namaḥ,
om śrotriyāya namaḥ,
om sannyāsine namaḥ,
om samabuddhaye namaḥ,
om saccidānandāya namaḥ,
om sarva-hitacintakāya namaḥ,
om satya-saṅkalpāya namaḥ,
om santuṣṭāya namaḥ,
om sādhave namaḥ,
om sumanase namaḥ,
om suhṛde namaḥ,
om svayaṁjyotiṣe namaḥ,

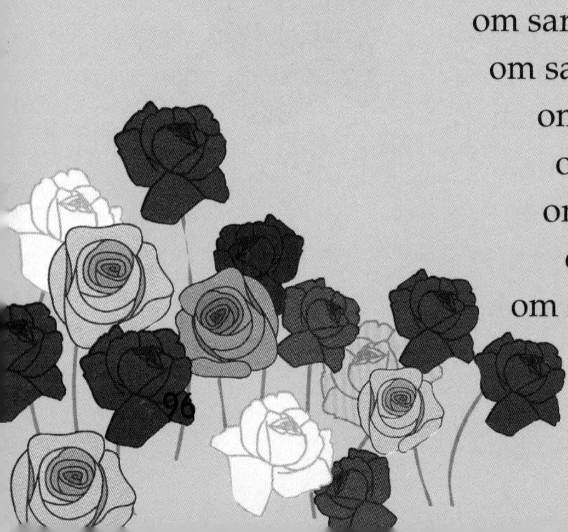

om sthita-prajñāya namaḥ,
om kṣamā-śīlāya namaḥ,
om jñāna-mūrtaye namaḥ,
om jñāna-yogine namaḥ,
om jñāna-tṛptāya namaḥ,
om nitya-śuddha-buddha- mukta-svarūpāya namaḥ, (3)
om śrī cinmaya sadgurave namaḥ.

श्री तपोवन षट्कम् - श्लोक १

ŚRĪ TAPOVANA-ṢAṬKAM – VERSE 1

(Verse 1 of Śrī Tapovana-Ṣaṭkam; for remaining verses, see Chinmaya Book of Hymns)

व्याप्तं जगद्-येन चिदात्म-भावाद् रज्ज्वा यथाऽहिर्हि चराचरं यत्।
सन्न्यस्य सर्वं च सदात्म-भावे स्वयं समस्तं च बभूव यस्तु॥
निस्सङ्ग-निर्मुक्ति-पदं प्रपद्य ब्रह्मात्म-भावेन विराजितो यः।
श्री सौम्य-काशीश-महेश्वराय तस्मै नमः स्वामि-तपोवनाय॥

vyāptaṁ jagad-yena cidātma-bhāvād rajjvā yathā'hirhi carācaraṁ yat,
sannyasya sarvaṁ ca sadātma-bhāve svayaṁ samastaṁ ca babhūva yastu.
nissaṅga-nirmukti-padaṁ prapadya brahmātma-bhāvena virājito yaḥ,
śrī saumya-kāśīśa-maheśvarāya tasmai namaḥ svāmi-tapovanāya.

Salutations to Swami Tapovanji, who is Maheśvara, the Lord of Saumyakāśi, who is the Consciousness that pervades the entire illusory movable and immovable world, just as the rope pervades the illusory snake. He has renounced all false identifications and resides in the true Self. He is all and becomes all (manifests as all names and forms). Abiding in the state of total detachment and Liberation, he is shining as the Self, one with Brahman.

भजन
BHAJANS

१

जय गुरु ओङ्कार । जय जय सद्गुरु । ओङ्कार ॐ ।
ब्रह्मा विष्णु सदाशिव । हर हर हर हर महादेव ॥

1

jaya guru oṅkāra, jaya jaya sadguru, oṅkāra om,
brahmā viṣṇu sadāśiva, hara hara hara hara mahādeva.

२

ॐ गुरु । ॐ गुरु । सच्चिदानन्द गुरु ।
सच्चिदानन्द गुरु । चिन्मयानन्द गुरु ॥ (२)
. . . श्री गुरु . . . जय गुरु . . . मम गुरु ॥

2

om guru, om guru, saccidānanda guru,
saccidānanda guru, cinmayānanda guru. (2)
... śrī guru ... jaya guru ... mama guru.

३

ॐ मङ्गलं । ओङ्कार मङ्गलम् ॥ (४)

भूमि मङ्गलं । उदक मङ्गलं । अग्नि मङ्गलं । वायु मङ्गलम् ।
सूर्य मङ्गलं । चन्द्र मङ्गलं । गगन मङ्गलं । जगत मङ्गलम् ॥

जीव मङ्गलं । देह मङ्गलं । मन मङ्गलं । आत्मा मङ्गलम् ।
श्याम मङ्गलं । श्याम-नाम मङ्गलं । राम मङ्गलं । राम-नाम मङ्गलम् ॥

गुरु मङ्गलं । गुरु-देव मङ्गलं । गुरु मङ्गलं । गुरु-पाद मङ्गलम् ।
गुरु मङ्गलं । गुरु-सेवा मङ्गलं । सर्व मङ्गलं । सर्व-लोक मङ्गलम् ॥

3

om maṅgalaṁ, oṅkāra maṅgalam. (4)

bhūmi maṅgalaṁ, udaka maṅgalaṁ, agni maṅgalaṁ,
vāyu maṅgalam,
sūrya maṅgalaṁ, candra maṅgalaṁ, gagana maṅgalaṁ, jagata
maṅgalam.

jīva maṅgalaṁ, deha maṅgalaṁ, mana maṅgalaṁ, ātmā maṅgalam,
śyāma maṅgalaṁ, śyāma-nāma maṅgalaṁ, rāma maṅgalaṁ, rāma-
nāma maṅgalam.

guru maṅgalaṁ, guru-deva maṅgalaṁ, guru maṅgalaṁ, guru-pāda
maṅgalam,
guru maṅgalaṁ, guru-sevā maṅgalaṁ, sarva maṅgalaṁ, sarva-loka
maṅgalam.

४

मन में प्रेम भरो । गुरु का ध्यान करो । (२)
गुरु का ध्यान करो । सद्गुरु के चरण धरो ॥ (४)

4

mana meṁ prema bharo, guru ka dhyāna karo, (2)
guru kā dhyāna karo, sadguru ke caraṇa dharo. (4)

५

आनन्द सदानन्द सच्चिदानन्द । आश्रित-पालन चिन्मयानन्द ॥(२)

परम-पवित्र सच्चिदानन्द । पालित सद्गुरु चिन्मयानन्द ॥ (२)

आनन्द सदानन्द सच्चिदानन्द । आश्रित-पालन चिन्मयानन्द ॥

परम-पुरुष हरि सच्चिदानन्द । पुरुषोत्तम श्री चिन्मयानन्द ॥ (२)

आनन्द सदानन्द सच्चिदानन्द । आश्रित-पालन चिन्मयानन्द ॥

5

ānanda sadānanda saccidānanda, āśrita-pālana cinmayānanda. (2)
parama-pavitra saccidānanda, pālita sadguru cinmayānanda. (2)
ānanda sadānanda saccidānanda, āśrita-pālana cinmayānanda.
parama-puruṣa hari saccidānanda, puruṣottama śrī cinmayānanda. (2)
ānanda sadānanda saccidānanda, āśrita-pālana cinmayānanda.

६

मानस भज रे गुरु चरणं । (२) दुस्तर भव-सागर तरणम् । (२)

गुरु महाराज गुरु जय जय । (२) स्वामि-नाथ सद्गुरु जय जय ॥ (२)

ॐ नमः शिवाय । (२) ॐ नमः शिवाय । शिवाय नमः ॐ । (२)

अरुणाचल शिव । (२) अरुणाचल शिव । अरुण-शिवोऽम् ॥ (२)

मानस भज रे गुरु चरणं । दुस्तर भव-सागर तरणम् । (२)

6

mānasa bhaja re guru caraṇaṁ, (2) dustara bhava-sāgara taraṇam, (2)
guru mahārāja guru jaya jaya, (2) svāmi-nātha sadguru jaya jaya. (2)
om namaḥ śivāya, (2) om namaḥ śivāya, śivāya namaḥ om,(2)
aruṇācala śiva, (2) aruṇācala śiva, aruṇa-śivo'm.(2)
mānasa bhaja re guru caraṇaṁ, dustara bhava-sāgara taraṇam, (2)

७

गुरु महाराज गुरु जय जय। पर-ब्रह्म सद्गुरु जय जय॥ (३)

गुरु महाराज गुरु जय जय। पर-ब्रह्म सद्गुरु जय जय।
गुरु महाराज गुरु जय जय। वेदव्यास सद्गुरु जय जय।
गुरु महाराज गुरु जय जय। आदि शंकर सद्गुरु जय जय॥

गुरु महाराज गुरु जय जय। पर-ब्रह्म सद्गुरु जय जय।
गुरु महाराज गुरु जय जय। तपोवन सद्गुरु जय जय।
गुरु महाराज गुरु जय जय। चिन्मयानन्द सद्गुरु जय जय।
गुरु महाराज गुरु जय जय। तेजोमयानन्द सद्गुरु जय जय॥

7

guru mahārāja guru jaya jaya, para-brahma sadguru jaya jaya. (3)

guru mahārāja guru jaya jaya, para-brahma sadguru jaya jaya,
guru mahārāja guru jaya jaya, vedavyāsa sadguru jaya jaya,
guru mahārāja guru jaya jaya, ādi śaṅkara sadguru jaya jaya.

guru mahārāja guru jaya jaya, para-brahma sadguru jaya jaya,
guru mahārāja guru jaya jaya, tapovana sadguru jaya jaya,
guru mahārāja guru jaya jaya, cinmayānanda sadguru jaya jaya,
guru mahārāja guru jaya jaya, tejomayānanda sadguru jaya jaya.

८

गुरु हमारे मन मंदिर में गुरु हमारे प्यार। (२)
सारे विश्व का वो है दाता नारायण भगवान। (२)
श्री गुरुदेव। जय गुरुदेव। (२) ॐ गुरुदेव। जय गुरुदेव। (२)
श्री गुरुदेव। जय गुरुदेव॥ (२)

गुरु हमारे धन दौलत हैं गुरु हमारे प्राण। (२)

ज्ञान भक्ति का वो है दाता नारायण भगवान। (२)

श्री गुरुदेव। जय गुरुदेव। (२) ॐ गुरुदेव। जय गुरुदेव। (२)

श्री गुरुदेव। जय गुरुदेव॥ (६)

8

guru hamāre mana mandira meṁ guru hamāre pyāra, (2)
sāre viśva kā vo hai dātā nārāyaṇa bhagavān, (2)
śrī gurudev, jaya gurudev, (2) om gurudev, jaya gurudev, (2)
śrī gurudeva, jaya gurudeva. (2)

guru hamāre dhana daulata haiṁ guru hamāre prāṇa, (2)
jñāna bhakti kā vo haim dātā nārāyaṇa bhagavān, (2)
śrī gurudev, jaya gurudev, (2) om gurudev, jaya gurudev, (2)
śrī gurudev, jaya gurudev. (6)

९

आओ गुरुदेव दर्शन दीजो (२) तुम हो जगत के धाता॥ (२)

आओ गुरुदेव दर्शन दीजो तुम हो जगत के धाता॥

तुम ही हो ब्रह्मा। तुम ही हो विष्णु। तुम ही हो शङ्कर-रूप। (२)

सृष्टि-स्थिति-लय-स्वरूप तुम हो। तुम हो अनादि-रूप।

आओ गुरुदेव दर्शन दीजो तुम हो जगत के धाता॥ (२)

अनाथ-नाथ दीन-बन्धु तुम हो आनन्द-रूप। (२)

अज्ञान-नाशक शरण-संरक्षक आत्म-ज्ञान-प्रदाता॥

आओ गुरुदेव दर्शन दीजो तुम हो जगत के धाता॥ (४)

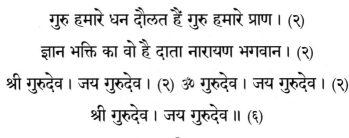

9

āo gurudev darśana dījo (2) tuma ho jagata ke dhātā. (2)
āo gurudev darśana dījo tuma ho jagata ke dhātā.
tuma hī ho brahmā, tuma hī ho viṣṇu, tuma hī ho śaṅkara-rūpa,(2)
sṛṣṭi-sthiti-laya-svarūpa tuma ho, tuma ho anādi-rūpa,
āo gurudev darśana dījo, tuma ho jagata ke dhātā.(2)
anātha-nātha dīna-bandhu tuma ho ānanda-rūpa,(2)
ajñāna-nāśaka śaraṇa-saṁrakṣaka ātma-jñāna-pradātā.
āo gurudev darśana dījo, tuma ho jagata ke dhātā.(4)

10

hari om gurudev, hari om. (2)
showering happiness, towering kindness,
chinmayananda gurudev,
always smiling, forever daring,
chinmayananda gurudev
hari om gurudev, hari om. (2)
full of knowledge, bright and blissful,
chinmayananda gurudev,
world's best teacher, selfless worker,
chinmayananda gurudev,
hari om gurudev, hari om. (2)

श्री शिव
LORD SHIVA (Śrī Śiva)

Did you know . . . ?

In the Hindu trinity called GOD (Generator-Operator-Destroyer), Lord Śiva is the destroyer. He destroys things that are old or not useful or not good for us, so that new things can be created and can take their place.

Lord Śiva's śakti is mother Pārvatī. His children are Lord Kārtikeya and Lord Gaṇeśa. Lord Nandi (the bull) is His vehicle.

Lord Śiva lives in the Himalayas on mount Kailāsa, which people do not climb, but around which many pilgrims go on foot. It is a long and hard journey, but for devotees, it is filled with great silence, beauty, and joy. There is always an Om-symbol filled in snow on mount Kailāsa (you can see it in the photos!).

The worship of Lord Śiva is seen in two aspects: saguṇa, 'God with form' (as the mūrti, or idol of Lord Śiva) and nirguṇa, 'God without form' (as the liṅgam).

Lord Śiva's many names include Naṭarāja, Hara, Śambhu, Tripurāri, Śaṅkara, Mahādeva, Rudra, Bholenāth, Sāmba-śiva, and Pannaga-bhūśaṇa.

One of Lord Mahādeva's most famous forms is the lord of dance, Lord Naṭarāja, whose cosmic dance is known as Tāṇḍava nṛitya.

Lord Śiva is the ultimate of all ascetics. He smears His milky white body with grey ashes (bhasma) and wears snakes all over. And He is almost always sitting in meditation. God would meditate on whom, you might ask. It is none other than the holy form of Lord Rāma!

Lord Śiva reminds us that we all have three eyes: the left eye is justice (be righteous and fair); the right eye is compassion (love all); the third eye between the brows is wisdom (know the difference between right and wrong, know when, how, and why to do what). To remind us to focus on our third eye is the reason why Hindus wear a bindi, tilak, or tripuṇdra.

Mahāśivarātri ('The night of Lord Śiva') comes every year around February/March. It is said that devotees who stay awake this entire night in meditation (with full and intense attention on God alone), become one with God!

Lord Śiva's favourite offerings are pure love, fresh fruits, abhiṣekam, and bilva leaves.

Lord Śiva also wrote a *Gītā*. It is *Guru-gītā*. Like this, there are many divine *Gītās* (songs) in the Hindu scriptures, including *Śrīmad Bhagavad-gītā*, *Rāma-gītā*, and *Lakṣmaṇa-gītā.*

The mahāmantra for Lord Śiva is 'om namaḥ śivāya' (not 'om namo śivāya,' which is grammatically incorrect in Sanskrit).

ध्यान श्लोकः

VAIDIKA INVOCATIONS (Dhyāna Ślokaḥ)

१

ॐ नमस्ते अस्तु भगवन्-विश्वेश्वराय महा-देवाय त्र्यम्बकाय

त्रिपुरान्तकाय त्रिकालाग्नि-कालाय

कालाग्नि-रुद्राय नील-कण्ठाय मृत्युञ्जयाय सर्वेश्वराय

सदा-शिवाय श्रीमन्-महादेवाय नमः ॥

1

om namaste astu bhagavan-viśveśvarāya mahā-devāya
tryambakāya
tripurāntakāya trikālāgni-kālāya
kālāgni-rudrāya nīla-kaṇṭhāya mṛtyuñjayāya sarveśvarāya
sadā-śivāya śrīmanmahādevāya namaḥ.

Salutations to Thee, O Lord, the Master of the universe, the great Lord, the three-eyed One, the destroyer of Tripura, the extinguisher of the Trikāla fire, the fire of death, the blue-necked One, the conqueror of death, the Lord of all, the ever-auspicious One, the glorious Lord of Lords.

२

ॐ त्र्यंबकं यजामहे सुगन्धिं पुष्टिवर्धनम् ।
उर्वारुकमिव-बन्धनान्-मृत्योर्मुक्षीय माऽमृतात् ॥

2

om tryambakaṁ yajāmahe
sugandhiṁ puṣṭivardhanam,
urvārukamiva bandhanān-
mṛtyormukṣīya mā'mṛtāt.

We worship the three-eyed, fragrant, ever-nourishing Lord Śiva. As the ripened cucumber is liberated easily from its bondage to the creeper, may He liberate us from the bondage of death or mortality, not from immortality (Oneness with God).

लिङ्गाष्टकम्

१
ब्रह्म-मुरारि-सुरार्चित-लिङ्गं निर्मल-भासित-शोभित-लिङ्गम् ।
जन्मज-दुःख-विनाशक-लिङ्गं तत्-प्रणमामि सदा-शिव-लिङ्गम् ॥
२
देव-मुनि-प्रवरार्चित-लिङ्गं काम-दहं करुणाकर-लिङ्गम् ।
रावण-दर्प-विनाशन-लिङ्गं तत्-प्रणमामि सदा-शिव-लिङ्गम् ॥
३
सर्व-सुगन्धि-सुलेपित-लिङ्गं बुद्धि-विवर्धन-कारण-लिङ्गम् ।
सिद्ध-सुरासुर-वन्दित-लिङ्गं तत्-प्रणमामि सदा-शिव-लिङ्गम् ॥
४
कनक-महामणि-भूषित-लिङ्गं फणि-पति-वेष्टित-शोभित-लिङ्गम् ।
दक्ष-सुयज्ञ-विनाशन-लिङ्गं तत्-प्रणमामि सदा-शिव-लिङ्गम् ॥
५
कुङ्कुम-चन्दन-लेपित-लिङ्गं पङ्कज-हार-सुशोभित-लिङ्गम् ।
सञ्चित-पाप-विनाशन-लिङ्गं तत्-प्रणमामि सदा-शिव-लिङ्गम् ॥
६
देव-गणार्चित-सेवित-लिङ्गं भावैर्भक्तिभिरेव च लिङ्गम् ।
दिनकर-कोटि-प्रभाकर-लिङ्गं तत्-प्रणमामि सदा-शिव-लिङ्गम् ॥
७
अष्टदलोपरि वेष्टित-लिङ्गं सर्व-समुद्भव-कारण-लिङ्गम् ।
अष्ट-दरिद्र-विनाशित-लिङ्गं तत्-प्रणमामि सदा-शिव-लिङ्गम् ॥
८
सुर-गुरु-सुर-वर-पूजित-लिङ्गं सुर-वन-पुष्प-सदार्चित-लिङ्गम् ।
परात्परं परमात्मक-लिङ्गं तत्-प्रणमामि सदा-शिव-लिङ्गम् ॥
९
लिङ्गाष्टकम्-इदं पुण्यं यः पठेत्-शिव-सन्निधौ ।
शिव-लोकम्-अवाप्नोति शिवेन सह मोदते ॥

LIṄGĀṢṬAKAM

1

brahma-murāri-surārcita-liṅgaṁ nirmala-bhāsita-śobhita-liṅgam,
janmaja-duḥkha-vināśaka-liṅgaṁ tat-praṇamāmi sadā-śiva-liṅgam.

2

deva-muni-pravarārcita-liṅgaṁ kāma-dahaṁ karuṇākara-liṅgam,
rāvaṇa-darpa-vināśana-liṅgaṁ tat-praṇamāmi sadā-śiva-liṅgam.

3

sarva-sugandhi-sulepita-liṅgaṁ buddhi-vivardhana-kāraṇa-liṅgam,
siddha-surāsura-vandita-liṅgaṁ tat-praṇamāmi sadā-śiva-liṅgam.

4

kanaka-mahāmaṇi-bhūṣita-liṅgaṁ phaṇi-pati-veṣṭita-śobhita-liṅgam,
dakṣa-suyajña-vināśana-liṅgaṁ tat-praṇamāmi sadā-śiva-liṅgam.

5

kuṅkuma-candana-lepita-liṅgaṁ paṅkaja-hāra-suśobhita-liṅgam,
sañcita-pāpa-vināśana-liṅgaṁ tat-praṇamāmi sadā-śiva-liṅgam.

6

deva-gaṇārcita sevita-liṅgaṁ bhāvairbhaktibhireva ca liṅgam,
dinakara-koṭi-prabhākara-liṅgaṁ tat-praṇamāmi sadā-śiva-liṅgam.

7

aṣṭadalopari veṣṭita-liṅgaṁ sarva-samudbhava-kāraṇa-liṅgam,
aṣṭa-daridra-vināśita-liṅgaṁ tat-praṇamāmi sadā-śiva-liṅgam.

8

sura-guru-sura-vara-pūjita-liṅgaṁ sura-vana-puṣpa-sadārcita-liṅgam,
parātparaṁ paramātmaka-liṅgaṁ tat-praṇamāmi sadā-śiva-liṅgam.

9

liṅgāṣṭakam-idaṁ puṇyaṁ yaḥ paṭhet-śiva-sannidhau,
śiva-lokam-avāpnoti śivena saha modate.

शिव पञ्चाक्षरी स्तोत्रम्

१

नागेन्द्र-हाराय त्रिलोचनाय
भस्माङ्ग-रागाय महेश्वराय।
नित्याय शुद्धाय दिगम्बराय
तस्मै न-काराय नमः शिवाय ॥
ॐ नमः शिवाय (३)

२

मन्दाकिनी-सलिल-चन्दन-चर्चिताय
नन्दीश्वर-प्रमथ-नाथ-महेश्वराय।
मन्दार-पुष्प-बहु-पुष्प-सुपूजिताय
तस्मै म-काराय नमः शिवाय ॥
ॐ नमः शिवाय (३)

३

शिवाय गौरी-वदनाब्ज-वृन्द-
सूर्याय दक्षाध्वर-नाशकाय।
श्री-नील-कण्ठाय वृषध्वजाय
तस्मै शि-काराय नमः शिवाय ॥
ॐ नमः शिवाय (३)

४

वसिष्ठ-कुम्भोद्भव-गौतमार्य-
मुनीन्द्र-देवार्चित-शेखराय।

चन्द्रार्क-वैश्वानर-लोचनाय
तस्मै व-काराय नमः शिवाय ॥
ॐ नमः शिवाय (३)

५

यक्ष-स्वरूपाय जटा-धराय
पिनाक-हस्ताय सनातनाय।
दिव्याय देवाय दिगम्बराय
तस्मै य-काराय नमः शिवाय ॥
ॐ नमः शिवाय (३)

पञ्चाक्षरम्-इदं पुण्यं यः पठेत्-शिव-सन्निधौ।
शिव-लोकम्-अवाप्नोति शिवेन सह मोदते ॥

ŚIVA-PAÑCĀKṢARĪ-STOTRAM

1

nāgendra-hārāya trilocanāya
bhasmāṅga-rāgāya maheśvarāya,
nityāya śuddhāya digambarāya
tasmai 'na'-kārāya namaḥ śivāya.
om namaḥ śivāya (3)

2

mandākinī-salila-candana-carcitāya
nandīśvara-pramatha-nātha-maheśvarāya,
mandāra-puṣpa-bahu-puṣpa-supūjitāya
tasmai 'ma'-kārāya namaḥ śivāya.
om namaḥ śivāya (3)

3

śivāya gaurī-vadanābja-vṛnda-
sūryāya dakṣādhvara-nāśakāya,
śrī-nīla-kaṇṭhāya vṛṣadhvajāya
tasmai 'śi'-kārāya namaḥ śivāya.
om namaḥ śivāya (3)

4

vasiṣṭha-kumbhodbhava-gautamārya-
munīndra-devārcita-śekharāya,
candrārka-vaiśvānara-locanāya
tasmai 'va'-kārāya namaḥ śivāya.
om namaḥ śivāya (3)

5

yakṣa-svarūpāya jaṭā-dharāya
pināka-hastāya sanātanāya,
divyāya devāya digambarāya
tasmai 'ya'-kārāya namaḥ śivāya.
om namaḥ śivāya (3)

pañcākṣaram-idaṁ puṇyaṁ yaḥ paṭhet-śiva-sannidhau,
śivalokam-avāpnoti śivena saha modate.

भजन

BHAJANS

१

नाम-सङ्कीर्तनम्

ॐ नमः शिवाय ॥

1

nāma-saṅkīrtanam

om namaḥ śivāya.

२

शिवाय परमेश्वराय शशि-शेखराय नमः ॐ । (२)
भवाय गुण-सम्भवाय शिव-ताण्डवाय नमः ॐ ॥ (२)

शिवाय परमेश्वराय चन्द्र-शेखराय नमः ॐ । (२)
भवाय गुण सम्भवाय शिव-ताण्डवाय नमः ॐ ॥ (२)

2

śivāya parameśvarāya śaśi-śekharāya namaḥ om, (2)
bhavāya guṇa-sambhavāya śiva-tāṇḍavāya namaḥ om. (2)

śivāya parameśvarāya candra-śekharāya namaḥ om, (2)
bhavāya guṇa sambhavāya śiva-tāṇḍavāya namaḥ om. (2)

३

ॐ शिव ॐ शिव परात्पर-शिव (२) ओंकार-शिव तव शरणम् (२)

नमामि शङ्कर भजामि शङ्कर (२) उमा-महेश्वर तव शरणम् । (२)
ॐ शिव ॐ शिव परात्पर-शिव ओंकार-शिव तव शरणम् ।

गौरी-शङ्कर शम्भो शङ्कर (२) साम्ब-सदा-शिव तव शरणम्॥ (२)
ॐ शिव ॐ शिव परात्पर-शिव ओंकार-शिव तव शरणम्।
ओंकार-शिव तव शरणम्॥

3

om śiva om śiva parātpara-śiva (2) oṅkāra-śiva tava śaraṇam, (2)

namāmi śaṅkara bhajāmi śaṅkara (2) umā-maheśvara tava śaraṇam, (2)
om śiva om śiva parātpara-śiva oṅkāra-śiva tava śaraṇam,

gaurī-śaṅkara śambho śaṅkara (2) sāmba-sadā-śiva tava śaraṇam. (2)
om śiva om śiva parātpara-śiva oṅkāra-śiva tava śaraṇam,
oṅkāra-śiva tava śaraṇam.

४

शङ्कर सदा-शिव चन्द्र-शेखर
चन्द्र-शेखर गौरि-शंकर।

नील-कण्ठ शूल-धारि चन्द्र-शेखर
भाल-नेत्र त्रिपुरारि गौरि-शंकर।
चन्द्र-शेखर गौरि-शंकर
गौरि-शंकर चन्द्र-शेखर॥

4

śaṅkara sadā-śiva candra-śekhara
candra-śekhara gauri-śaṅkara,

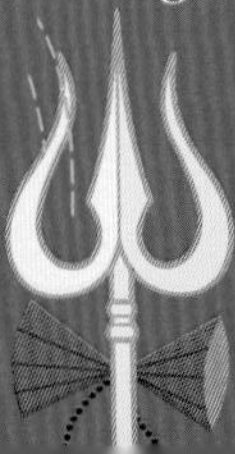

nīla-kaṇṭha śūla-dhāri candra-śekhara
bhāla-netra tripurāri gauri-śaṅkara,
candra-śekhara gauri-śaṅkara
gauri-śaṅkara candra-śekhara.

५

शिवाय नमः। शिव-लिङ्गाय नमः ॐ।
भवाय नमः। भव-लिङ्गाय नमः ॐ।
रुद्राय नमः। रुद्र-लिङ्गाय नमः ॐ।
शर्वाय नमः। शर्व-लिङ्गाय नमः ॐ।
आत्माय नमः। आत्म-लिङ्गाय नमः ॐ।
नमः ॐ॥ (४)

5

śivāya namaḥ, śiva-liṅgāya namaḥ om,
bhavāya namaḥ, bhava-liṅgāya namaḥ om,
rudrāya namaḥ, rudra-liṅgāya namaḥ om,
śarvāya namaḥ, śarva-liṅgāya namaḥ om,
ātmāya namaḥ, ātma-liṅgāya namaḥ om,
namaḥ om. (4)

६

नील-कण्ठ महादेव। नील-कण्ठ महादेव।
पाहि माम् त्राहि माम्। प्राण-नाथ हे प्रभो॥

दीन-बन्धु दीन-नाथ । विश्व-नाथ हे प्रभो ।
पाहि माम् त्राहि माम् । प्राण-नाथ हे प्रभो ॥
ॐ ह्रीं नमः शिवाय । (४)

ॐ ह्रीं नमः शिवाय । ॐ नमो नारायणाय ।
पाहि माम् त्राहि माम् । प्राण-नाथ हे प्रभो ॥
प्राण-नाथ हे प्रभो ॥ (२)

6

nīla-kaṇṭha mahādeva, nīla-kaṇṭha mahādeva,
pāhi mām trāhi mām, prāṇa-nātha he prabho.

dīna-bandhu dīna-nātha, viśva-nātha he prabho,
pāhi mām trāhi mām, prāṇa-nātha he prabho.
om hrīṁ namaḥ śivāya, (4)

om hrīṁ namaḥ śivāya, om namo nārāyaṇāya,
pāhi mām trāhi mām, prāṇa-nātha he prabho.
prāṇa-nātha he prabho. (2)

७

धिम् धिम् धिमि-तक झणुत झणु-तक तला-नुक तिकि-तक नटन-शिव ॥
नटराजा नटराजा त्रिशूल-ताण्डव-उमा-महेश्वर ।
धाम् धीम् धिमि-तक नटन-शिव ॥

7

dhim dhim dhimi-taka jhaṇuta jhaṇu-taka talā-nuka tiki-taka naṭana-śiva.
naṭarājā naṭarājā triśūla-tāṇḍava-umā-maheśvara,
dhām dhim dhimi-taka naṭana-śiva.

८

ॐ धिमिकि धिमिकि धिम्। धिमिकि धिमिकि धिम्। नाचे भोलानाथ ॥

नाचे भोलानाथ। (७)

मृदंग बोले शिव शिव शिव ॐ।

डमरू बोले हर हर हर ॐ।

वीणा बोले हरि ॐ हरि ॐ।

नाचे भोलानाथ ॥ (७)

8

om dhimiki dhimiki dhim, dhimiki dhimiki dhim, nāce bholānātha.
nāce bholānātha, (7)
mṛdaṅga bole śiva śiva śiva om,
ḍamarū bole hara hara hara om,
vīṇā bole hari om hari om,
nāce bholānātha. (7)

९

शङ्कर भोला भाला। बड़ा मतवाला बड़ा मतवाला है॥

जटा से उनकी गंगा बहाये हाथ में भांग का प्याला।
है भांग का प्याला। बड़ा मतवाला है॥
शङ्कर भोला भाला। बड़ा मतवाला बड़ा मतवाला है॥

जटा में उनकी चन्द्रमा विराजे गले में सर्पों की माला।
है सर्पों की माला। बड़ा मतवाला है॥
शङ्कर भोला भाला। बड़ा मतवाला बड़ा मतवाला है॥

अंगोंमें उनकी गौरी माँ विराजे गोद् में गणपति बाला।
है गणपति बाला। बड़ा मतवाला है॥
शङ्कर भोला भाला। बड़ा मतवाला बड़ा मतवाला है॥

9

śaṅkara bholā bhālā, baḍā matavālā, baḍā matavālā hai.

jaṭā se unakī gaṅgā bahāye hātha meṁ bhāṅga kā pyālā,
hai bhāṅga kā pyālā, baḍā matavālā hai.
śaṅkara bholā bhālā, baḍā matavālā, baḍā matavālā hai.

jaṭā meṁ unakī candramā virāje gale meṁ sarpoṁ kī mālā,
hai sarpoṁ kī mālā, baḍā matavālā hai.
śaṅkara bholā bhālā, baḍā matavālā, baḍā matavālā hai.

aṅgoṁ meṁ unakī gaurī māṁ̐ virāje goda meṁ gaṇapati bālā,
hai gaṇapati bālā, baḍā matavālā hai.
śaṅkara bholā bhālā, baḍā matavālā, baḍā matavālā hai.

१०

बम् बम् भोला (६) बम् बम् भोला रे ओ भोला ।

नटराजा (६) नटराजा रे ओ भोला ।

नर्तन-शील (६) नर्तन-शील रे ओ भोला ।

मृत्युञ्जय (६) मृत्युञ्जय रे ओ भोला ।

अति-रुद्र महा-रुद्र (३) अति-रुद्र रे ओ भोला ॥

10

bam bam bholā (6) bam bam bholā re o bholā,
naṭarājā (6) naṭarājā re o bholā,
nartana-śīla (6) nartana-śīla re o bholā,
mṛtyuñjaya (6) mṛtyuñjaya re o bholā,
ati-rudra mahā-rudra (3) ati-rudra re o bholā.

११

विश्व-नाथ जय । अमर-नाथ जय । भूत-नाथ जय । उमा-पते ।

बम् बम् बम् भोला भोला ॥ (२)

चन्द्र-शेखर । जटा-शङ्कर । नील-कण्ठ । हे पशुपते ।

बम् बम् बम् भोला भोला ॥ (२)

11

viśva-nātha jaya, amara-nātha jaya, bhūta-nātha jaya, umā-pate,
bam bam bam bholā bholā. (2)

candra-śekhara, jaṭā-śaṅkara, nīla-kaṇṭha, he paśupate,
bam bam bam bholā bholā. (2)

१२

नटन-कलाधर नटन-मनोहर
मुनि-जन-वन्दित गङ्गाधर ॥
गङ्गाधर हर गङ्गाधर ।
गौरी-मनोहर गङ्गाधर ।
हर गौरी-मनोहर गङ्गाधर ॥

गङ्गाधर गङ्गाधर हर हर गङ्गाधर ॥ (३)
गङ्गाधर हर गङ्गाधर ।
हर गौरी-मनोहर गङ्गाधर ।
हर हर गौरी-मनोहर गङ्गाधर ॥

12

naṭana-kalādhara naṭana-manohara
muni-jana-vandita gaṅgādhara.
gaṅgādhara hara gaṅgādhara,
gaurī-manohara gaṅgādhara,
hara gaurī-manohara gaṅgādhara.

gaṅgādhara gaṅgādhara hara hara gaṅgādhara. (3)
gaṅgādhara hara gaṅgādhara,
hara gaurī-manohara gaṅgādhara,
hara hara gaurī-manohara gaṅgādhara.

१३

हे जगत्-त्राता विश्व-विधाता (२) हे सुख-शान्ति-निकेतन हे। (२)

हे जगत्-त्राता विश्व-विधाता हे सुख-शान्ति-निकेतन हे॥

नित्य अखण्ड अनादि अनन्त (२) पूर्ण-ब्रह्म सनातन हे। (२)

हे जगत्-त्राता विश्व-विधाता हे सुख-शान्ति-निकेतन हे॥

प्रेम के सिन्धु दीन के बन्धु (२) दुःख-दरिद्र-निवारण हे। (२)

हे जगत्-त्राता विश्व-विधाता हे सुख-शान्ति-निकेतन हे॥

13

he jagat-trātā viśva-vidhātā (2) he sukha-śānti-niketana he, (2)
he jagat-trātā viśva-vidhātā he sukha-śānti-niketana he.
nitya akhaṇḍa anādi ananta (2) pūrṇa-brahma sanātana he, (2)
he jagat-trātā viśva-vidhātā he sukha-śānti-niketana he.
prema ke sindhu dīna ke bandhu (2) duḥkha-daridra-nivāraṇa he, (2)
he jagat-trātā viśva-vidhātā he sukha-śānti-niketana he.

१४

हे शिव-शङ्कर नमामि शङ्कर शिव-शङ्कर शम्भो।

हे गिरिजा-पति भवानी-शङ्कर

भवानी-शङ्कर (२)

हे गिरिजा-पति भवानी-शङ्कर

शिव-शङ्कर शम्भो॥ (३)

14

he śiva-śaṅkara namāmi śaṅkara śiva-śaṅkara śambho,
he girijā-pati bhavānī-śaṅkara
bhavānī-śaṅkara (2)

he girijā-pati bhavānī-śaṅkara
śiva-śaṅkara śambho. (3)

१५

शङ्कर सदा-शिव सभा-पते मनोहर ।
चन्द्र-शेखर जटा-धर उमा-महेश्वर ॥

15

śaṅkara sadā-śiva sabhā-pate manohara,
candra-śekhara jaṭā-dhara umā-maheśvara.

१६

काल-काल काम-दहन काशि-नाथ पाहि माम् ।
विशालाक्षि-अम्ब-सहित विश्व-नाथ रक्ष माम् ॥

शम्भो शङ्कर गौरीश शिव साम्ब-शङ्कर गौरीश ।
साम-गान-प्रिय गौरीश शिव साम्ब-शङ्कर गौरीश ॥
उमा-महेश्वर गौरीश शिव ऊर्ध्व-ताण्डव गौरीश ।
विश्व-नाथ प्रभु गौरीश शिव साम्ब-शङ्कर गौरीश ॥

16

kāla-kāla kāma-dahana kāśi-nātha pāhi mām,
viśālākṣi-amba-sahita viśva-nātha rakṣa mām.

śambho śaṅkara gaurīśa śiva sāmba-śaṅkara gaurīśa,
sāma-gāna-priya gaurīśa śiva sāmba-śaṅkara gaurīśa.
umā-maheśvara gaurīśa śiva ūrdhva-tāṇḍava gaurīśa,
viśva-nātha prabhu gaurīśa śiva sāmba-śaṅkara gaurīśa.

१७

शैल-गिरीश्वर उमा-महेश्वर काशी-विश्वेश्वर सदा-शिव । (२)
सदा-शिव सदा-शिव सदा-शिव साम्ब सदा-शिव ।
सदा-शिव सदा-शिव सदा-शिव शम्भो सदा-शिव ॥

17

śaila-girīśvara umā-maheśvara kāśī-viśveśvara sadā-śiva, (2)
sadā-śiva sadā-śiva sadā-śiva sāmba sadā-śiva,
sadā-śiva sadā-śiva sadā-śiva śambho sadā-śiva.

१८

हर हर शङ्कर साम्ब सदा-शिव ईश महेश ।
ताण्डव-प्रिय हर चन्द्र-कला-धर ईश महेश ।
अम्बा-सुत-लम्बोदर-वन्दित ईश महेश । (२)
तुङ्ग-हिमाचल-शृङ्ग-निवासित ईश परेश ॥ (२)

18

hara hara śaṅkara sāmba sadā-śiva īśa maheśa,
tāṇḍava-priya hara candra-kalā-dhara īśa maheśa,
ambā-suta-lambodara-vandita īśa maheśa, (2)
tuṅga-himācala-śṛṅga-nivāsita īśa pareśa. (2)

श्री विष्णु

LORD VISHNU (Śrī Viṣṇu)

Did you know . . . ?

In the Hindu trinity called GOD (Generator-Operator-Destroyer), Lord Viṣṇu is the operator or sustainer. He maintains, nurtures, and nourishes the entire cosmos, and makes sure everything is running according to universal laws.

At Lord Viṣṇu's feet is always mother Lakṣmī. She is His greatest devotee and always waits to serve Him, as does Śeṣanāga, the thousand-hooded snake representing time. Lord Śeṣanāga has cosmic powers and balances the universe on his hoods.

Lord Viṣṇu resides in Vaikuṇṭha, in the milky ocean. Lord Garuḍa, the king of birds (an eagle), is Lord Viṣṇu's vehicle. There is much symbolism behind all these pictures that have been drawn for us by our ancient ṛṣīs through their meditation. So be sure to research on their meanings!

Lord Viṣṇu's other names include Nārāyaṇa, Hari, Śrīpati, Vaikuṇṭha-vāsa, Padma-nābha, and Kśīrābdhi-śayana.

To establish good (dharma) in the world and protect His devotees, as and when needed, He takes avatāras (incarnations or forms) on earth: Matsya, Kūrma, Varāha, Narasiṁha, Vāmana, Paraśurāma, Rāma, Kṛṣṇa, Buddha, and Kalki are such ten avatāras.

The charming blue form of Lord Viṣṇu is seen with golden robes and four arms, each hand holding: a śaṅkha ('conch' shell that reveals the Vedas), cakra ('discus' that removes ignorance or wrong thinking), gada ('mace' that destroys evil), and padma ('lotus' that grants the inner beauty of wisdom and peace).

One of the famous prayers offered to Lord Viṣṇu is *Śrī Viṣṇusahasra-nāma,* which was authored by none other than Bhīṣmapitāmaha at the end of the Mahābhārata war.

Śrī Hari's most beloved plant, which all His devotees keep in their front courtyards, is mother Tulasī. She is soft, sweet, comes in varieties, and has great medicinal powers (as do all herbs and plants in God's creation).

The mahāmantra for Lord Viṣṇu is 'om namo nārāyaṇāya.'

The mahāmantra given by the Vedas for modern day, in *Kali-santaraṇa upaniṣad,* is 'hare rāma hare rāma, rāma rāma hare hare, hare kṛṣṇa hare kṛṣṇa, kṛṣṇa kṛṣṇa hare hare.'

ध्यान श्लोकः

INVOCATIONS (Dhyāna Ślokaḥ)

१

शान्ताकारं भुजग-शयनं पद्म-नाभं सुरेशम् ।

विश्वाधारं गगन-सदृशं मेघ-वर्णं शुभाङ्गम् ।

लक्ष्मी-कान्तं कमल-नयनं योगिभिर्ध्यानगम्यम् ।

वन्दे विष्णुं भव-भय-हरं सर्व-लोकैक-नाथम् ॥

1

śāntākāraṁ bhujaga-śayanaṁ padma-nābhaṁ sureśam,
viśvādhāraṁ gagana-sadṛśaṁ megha-varṇaṁ-śubhāṅgam,
lakṣmī-kāntaṁ kamala-nayanaṁ yogibhirdhyānagamyam,
vande viṣṇuṁ bhava-bhaya-haraṁ sarva-lokaika-nātham.

I salute Lord Viṣṇu, the sole Master of the universe, who grants peace, who rests on a serpent-bed, who sports a lotus in His navel, who is the one Lord of all the celestial beings, who is the support of the worlds, who is subtle and all-pervading like the sky, whose complexion is the colour of clouds, whose form is of utmost beauty, who is the consort of Śrī (Lakṣmī), whose eyes are like lotus petals, who is meditated upon by yogīs, and who eradicates the fear of saṁsāra (bondage in the cycle of birth and death).

२

नमः समस्त-भूतानाम्-आदि-भूताय भू-भृते ।

अनेक-रूपरूपाय विष्णवे प्रभ-विष्णवे ॥

2

namaḥ samasta-bhūtānām-ādi-bhūtāya bhū-bhṛte,
aneka-rūparūpāya viṣṇave prabha-viṣṇave.

Salutations to Lord Viṣṇu, who is the creator of all beings, the sustainer of creation, whose form is all forms, who is all-pervading and who is Self-effulgent.

दशावतार स्तोत्रम्

१

राम हरे कृष्ण हरे तव नाम वदामि सदा नृहरे ।
नाम-स्मरणादन्योपायं नहि पश्यामो भव-तरणे ॥

२

वेदोद्धार विचारमते सोमक-दानव-संहरणे ।
मीनाकार-शरीर नमो हर-भक्तं ते परि-पालय माम् ॥

३

मन्थानचल-धारण-हेतो देवासुर-परि-पालन भोः ।
कूर्माकार-शरीर नमो हर-भक्तं ते परि-पालय माम् ॥

४

भूचोरक-हर पुण्यद-मूर्ते क्रोडोद्-धृत-भूदेश-हरे ।
क्रोडाकार शरीर नमो हर-भक्तं ते परि-पालय माम् ॥

५

हेमकशिपु-तनु-धारण-हेतो प्रह्लादासुर-पालन भोः ।
नरसिंहाच्युत-रूप नमो हर-भक्तं ते परि-पालय माम् ॥

६

बलि-मख-बन्धन विततमते पादो-द्वय-कृत-लोक-कृते ।
पटु-बटु-वेष-मनोज्ञ नमो हर-भक्तं ते परि-पालय माम् ॥

७

क्षिति-पति-वंश-सम्भव-मूर्ते क्षिति-पति-रक्षा-क्षत-मूर्ते ।
भृगु-पति-राम-वरेण्य नमो हर-भक्तं ते परि-पालय माम् ॥

८

सीता-वल्लभ-दाशरथे दशरथ-नन्दन लोक-गुरो ।
रावण-मर्दन-राम नमो हर-भक्तं ते परि-पालय माम् ॥

९

कृष्णानन्द-कृपा-जलधे कंसारे कमलेश हरे ।
कालिय-मर्दन-कृष्ण नमो हर-भक्तं ते परि-पालय माम् ॥

१०

त्रिपुर-सती-मान-विहरण त्रिपुर-विजय-मार्गण-रूप ।
शुद्ध-ज्ञान-विबुद्ध नमो हर-भक्तं ते परि-पालय माम् ॥

११

दुष्ट-विमर्दन शिष्ट-हरे कलितुरगोत्तम-वाहन रे ।
कल्किन् कर-करवाल नमो हर-भक्तं ते परि-पालय माम् ॥

DAŚĀVATĀRA STOTRAM

1

rāma hare kṛṣṇa hare tava nāma vadāmi sadā nṛhare,
nāma-smaraṇādanyopāyaṁ nahi paśyāmo bhava-taraṇe.

2

vedoddhāra vicāramate somaka-dānava-saṁharaṇe,
mīnākāra-śarīra namo hara-bhaktaṁ te pari-pālaya mām.

3

manthānacala-dhāraṇa-heto devāsura-pari-pālana bhoḥ,
kūrmākāra-śarīra namo hara-bhaktaṁ te pari-pālaya mām.

4

bhūcoraka-hara puṇyada-mūrte kroḍod-dhṛta-bhūdeśa-hare,

kroḍākāra śarīra namo hara-bhaktaṁ te pari-pālaya mām.

5

hemakaśipu-tanu-dhāraṇa-heto prahlādāsura-pālana bhoḥ,

narasiṁhācyuta-rūpa namo hara-bhaktaṁ te pari-pālaya mām.

6

bali-makha-bandhana vitatamate pādodvaya-kṛta-loka-kṛte,

paṭu-baṭu-veṣa-manojña namo hara-bhaktaṁ te pari-pālaya mām.

7

kṣiti-pati-vaṁśa-sambhava-mūrte kṣiti-pati-rakṣā-kṣata-mūrte,
bhṛgu-pati-rāma-vareṇya namo hara-bhaktaṁ te pari-pālaya mām.

8

sītā-vallabha-dāśarathe daśaratha-nandana loka-guro,
rāvaṇa-mardana-rāma namo hara-bhaktaṁ te pari-pālaya mām.

9

kṛṣṇānanda-kṛpā-jaladhe kaṁsāre kamaleśa hare,
kāliya-mardana-kṛṣṇa namo hara-bhaktaṁ te pari-pālaya mām.

10

tripura-satī-māna-viharaṇa tripura-vijaya-mārgaṇa-rūpa,
śuddha-jñāna-vibuddha namo hara-bhaktaṁ te pari-pālaya mām.

11

duṣṭa-vimardana śiṣṭa-hare kaliturагottama-vāhana re,
kalkin kara-karavāla namo hara-bhaktaṁ te pari-pālaya mām.

भजन

BHAJANS

१

नाम-सङ्कीर्तनम्

हरे राम हरे राम राम राम हरे हरे ।
हरे कृष्ण हरे कृष्ण कृष्ण कृष्ण हरे हरे ॥

1

(nāma-saṅkīrtanam)

hare rāma hare rāma rāma rāma hare hare,
hare kṛṣṇa hare kṛṣṇa kṛṣṇa kṛṣṇa hare hare.

२

नाम-सङ्कीर्तनम्

हरि ॐ ॥

2

nāma-saṅkīrtanam

hari om.

३

श्रीमन् नारायण नारायण नारायण ।
सत्य नारायण नारायण नारायण ॥

सूर्य नारायण । बद्री नारायण ।
लक्ष्मी नारायण । भज मन नारायण ॥

3

śrīman nārāyaṇa nārāyaṇa nārāyaṇa,
satya nārāyaṇa nārāyaṇa nārāyaṇa.

sūrya nārāyaṇa, badrī nārāyaṇa,
lakṣmī nārāyaṇa, bhaja mana nārāyaṇa.

४

हरि हरि ॐ । हरि हरि ॐ । हरि हरि ॐ ॥ (३)
मत्स्य कूर्म वराहोनरहरि वामन भार्गव राम ।
दशरथ-नन्दन राघव हलधर राम कृष्ण कल्की ॥
हरि हरि ॐ ॥ (३)

हरि हरि ॐ जय नारायण परिपूरण कारण ॐ ।

जय जय शङ्ख सुचक्र गदाम्बुज पीताम्बरधर ॐ ।

हरि हरि ॐ । हरि हरि ॐ । हरि हरि ॐ ॥ (३)

श्रीधर श्रीकर श्रीवत्साङ्कित श्रितजन-वत्सल ॐ ।

श्रीमधुसूदन श्रीमधुरानन त्रिभुवन पालन ॐ ।

हरि हरि ॐ ॥ (३)

हरि हरि ॐ जय नित्य निरञ्जन निष्कल निर्गुण ॐ ।

नतजन-रञ्जन मदजन-भञ्जन सत्-चिन्मय हरि ॐ ।

सत्-चिन्मय हरि ॐ ॥ (३)

हरि हरि ॐ । हरि हरि ॐ । हरि हरि ॐ ॥ (३)

4

hari hari om, hari hari om, hari hari om. (3)
matsya kūrma varāhonarahari vāmana bhārgava rāma,
daśaratha-nandana rāghava haladhara rāma kṛṣṇa kalkī.
hari hari om. (3)
hari hari om, jaya nārāyaṇa paripūraṇa kāraṇa om,
jaya jaya śaṅkha sucakra gadāmbuja pītāmbaradhara om,
hari hari om, hari hari om, hari hari om. (3)

śrīdhara śrīkara śrīvatsāṅkita śritajana-vatsala om,
śrīmadhusūdana śrīmadhurānana tribhuvana pālana om,
hari hari om. (3)
hari hari om, jaya nityа nirañjana niṣkala nirguṇa om,
natajana-rañjana madajana-bhañjana sat-cinmaya hari om,
sat-cinmaya hari om. (3)
hari hari om, hari hari om, hari hari om. (3)

५

ॐ नमो नारायण । ॐ नमो नारायण ।
ॐ नमो नारायण । ॐ नमो नारायण । ॐ नमो नारायण ॥
केशव हरि केशव हरि केशव हरि केशव ।
ॐ नमो नारायण । ॐ नमो नारायण ॥
माधव हरि माधव हरि माधव हरि माधव ।
ॐ नमो नारायण । ॐ नमो नारायण ॥
गोविंद हरि गोविंद हरि गोविंद हरि गोविंद ।
ॐ नमो नारायण । ॐ नमो नारायण ॥
चिन्मय हरि चिन्मय हरि चिन्मय हरि चिन्मय ।
ॐ नमो नारायण । ॐ नमो नारायण ॥

5

om namo narāyaṇa, om namo narāyaṇa,
om namo narāyaṇa, om namo narāyaṇa, om namo narāyaṇa.
keśava hari keśava hari keśava hari keśava,
om namo narāyaṇa, om namo narāyaṇa.
mādhava hari mādhava hari mādhava hari mādhava,
om namo narāyaṇa, om namo narāyaṇa.
govinda hari govinda hari govinda hari govinda,
om namo narāyaṇa, om namo narāyaṇa.
cinmaya hari cinmaya hari cinmaya hari cinmaya,
om namo narāyaṇa, om namo narāyaṇa.

६

हरि गुण गाओ हरि नाम गाओ । (२)
अनन्त-आनन्द हरि नाम रे ॥
हरि गुण गाओ हरि नाम गाओ । (२)

श्रवण स्मरण करो हरि नाम रे।
मनन जपन करो हरि नाम रे॥
हरि ॐ हरि ॐ जपो रे सदा।
हरि ॐ हरि ॐ भजो रे सदा॥

6

hari guṇa gāo hari nāma gāo, (2)
ananta-ānanda hari nāma re.
hari guṇa gāo hari nāma gāo, (2)
śravaṇa smaraṇa karo hari nāma re,
manana japana karo hari nāma re.
hari om hari om japo re sadā,
hari om hari om bhajo re sadā.

७

नारायण हरि नारायण। भजो नारायण। नमो नारायण। (२)
हरि ॐ नमो नारायण॥ (६)

7

nārāyaṇa hari nārāyaṇa, bhajo nārāyaṇa, namo nārāyaṇa, (2)
hari om namo nārāyaṇa. (6)

८

हरि हरि हरि हरि स्मरण करो। (२) हरि-चरण-कमल ध्यान करो। (२)
हरि हरि हरि हरि स्मरण करो। (२)
मुरली-माधव सेवा करो। (२) मुरहर गिरिधारि भजन करो॥ (२)
हरि हरि हरि हरि स्मरण करो। (२)

8

hari hari hari hari smaraṇa karo, (2) hari-caraṇa-kamala dhyāna karo,(2)

hari hari hari hari smaraṇa karo, (2)

muralī-mādhava sevā karo,(2) murahara giridhāri bhajana karo. (2)

hari hari hari hari smaraṇa karo, (2)

९

नारायणं भज नारायणं सत्य-नारायणं श्रीमन्-नारायणम्।

पङ्कज-विलोचनं नारायणं भक्त-सङ्कट-विमोचनं नारायणम्।

अज्ञान-नाशकं नारायणं भक्त-सुज्ञान-पोषकं नारायणम्।

करुणा-पयोनिधिं नारायणं भक्त-शरणागतां निधिं नारायणम्।

नारायणं भज नारायणम्।

नारायण हरि नारायण हरि नारायण हरि नारायण ॥

9

nārāyaṇaṁ bhaja nārāyaṇaṁ satya-nārāyaṇaṁ śrīman-nārāyaṇam,
paṅkaja-vilocanaṁ nārāyaṇaṁ bhakta-saṅkaṭa-vimocanaṁ nārāyaṇam,
ajñāna-nāśakaṁ nārāyaṇaṁ bhakta-sujñāna-poṣakaṁ nārāyaṇam,
karuṇā-payonidhiṁ nārāyaṇaṁ bhakta-śaraṇāgatāṁ nidhiṁ nārāyaṇam,
nārāyaṇaṁ bhaja nārāyaṇam,
nārāyaṇa hari nārāyaṇa hari nārāyaṇa hari nārāyaṇa.

१०

राम-कृष्ण हरि मुकुन्द मुरारि।
पाण्डुरंग पाण्डुरंग पाण्डुरंग हरि ॥

मकर-कुण्डल-धारि भक्त-बन्धु-शौरि।
मुक्ति-दाता शक्ति-दाता विठ्ठल नरहरि ॥

दीन-बन्धु कृपा-सिन्धु श्री हरि श्री हरि।
श्री हरि श्री हरि ॥ (२)

पावनाङ्ग हे कृपाङ्ग वासुदेव हरि ॥
राम-कृष्ण हरि मुकुन्द मुरारि । पाण्डुरंग पाण्डुरंग पाण्डुरंग हरि ॥

10

rāma-kṛṣṇa hari mukunda murāri,
pāṇḍuraṅga pāṇḍuranga pāṇḍuraṅga hari.
makara-kuṇḍala-dhāri bhakta-bandhu śauri,
mukti-dātā śakti-dātā viṭhṭhala narahari.
dīna-bandhu kṛpā-sindhu śrī hari śrī hari,
śrī hari śrī hari. (2)
pāvanāṅga he kṛpāṅga vāsudeva hari.
rāma-kṛṣṇa hari mukunda murāri,
pāṇḍuraṅga pāṇḍuraṅga pāṇḍuraṅga hari.

११

नारायण नारायण जय गोविन्द हरे ।
नारायण नारायण जय गोपाल हरे ।
जय गोविन्द हरे जय गोपाल हरे ।
गोविन्द हरे गोपाल हरे ॥ (२)
नारायण नारायण नारायण नारायण नारायण ॥ (४)
जय गोविन्द हरे जय गोपाल हरे ।
गोविन्द हरे गोपाल हरे ॥ (२)

11

nārāyaṇa nārāyaṇa jaya govinda hare,
nārāyaṇa nārāyaṇa jaya gopāla hare,
jaya govinda hare jaya gopāla hare,
govinda hare gopāla hare. (2)

nārāyaṇa nārāyaṇa nārāyaṇa nārāyaṇa nārāyaṇa. (4)
jaya govinda hare jaya gopāla hare,
govinda hare gopāla hare. (2)

१२

नाम-सङ्कीर्तनम्

हरि विठ्ठल

12

nāma-saṅkīrtanam

hari viṭhṭhala

१३

जय जय विठ्ठले हरि नारायण ।
जय जय जय जय विठ्ठले हरि नारायण ।
हरि नारायण भजो नारायण । भजो नारायण हरि नारायण ।
पाण्डुरंग-विठ्ठले हरि नारायण । पुरंदर-विठ्ठले हरि नारायण ।
विठ्ठले हरि विठ्ठल ॥ (३)

जय जय विठ्ठले हरि नारायण ।
जय जय जय जय विठ्ठले हरि नारायण ।
हरि नारायण भजो नारायण । भजो नारायण श्रीमन्नारायण ।
श्रीमन्नारायण लक्ष्मी-नारायण । लक्ष्मी-नारायण सूर्य-नारायण ।
सूर्य-नारायण बद्रि-नारायण ।
विठ्ठले हरि विठ्ठल ॥ (३)

13

jaya jaya viṭhṭhale hari nārāyaṇa,
jaya jaya jaya jaya viṭhṭhale hari nārāyaṇa,
hari nārāyaṇa bhajo nārāyaṇa, bhajo nārāyaṇa hari nārāyaṇa,
pāṇḍuraṅga-viṭhṭhale hari nārāyaṇa, purandara-viṭhṭhale hari nārāyaṇa,
viṭhṭhale hari viṭhṭhala. (3)

jaya jaya viṭhṭhale hari nārāyaṇa,
jaya jaya jaya jaya viṭhṭhale hari nārāyaṇa,
hari nārāyaṇa bhajo nārāyaṇa, bhajo nārāyaṇa śrīmannārāyaṇa,
śrīmannārāyaṇa lakṣmī-nārāyaṇa, lakṣmī-nārāyaṇa sūrya-nārāyaṇa,
sūrya-nārāyaṇa badri-nārāyaṇa,
viṭhṭhale hari viṭhṭhala. (3)

१४

श्रीनिवास गोविन्द । श्रीवेङ्कटेश गोविन्द । (२)
तिरुपति-वास गोविन्द । तिरुमलै-वास गोविन्द । (२)
श्रीनिवास गोविन्द । श्रीवेङ्कटेश गोविन्द ।
पाण्डुरंग गोविन्द । पंढरी-नाथ गोविन्द । (२)
श्रीनिवास गोविन्द । श्रीवेङ्कटेश गोविन्द ।
वेङ्कट-रमण गोविन्द । सङ्कट-हरण गोविन्द । (२)
श्रीनिवास गोविन्द । श्रीवेङ्कटेश गोविन्द ।
पुराण-पुरुष गोविन्द । पुण्डरीकाक्ष गोविन्द ॥ (२)
श्रीनिवास गोविन्द । श्रीवेङ्कटेश गोविन्द ।

14

śrīnivāsa govinda, śrīveṅkaṭeśa govinda,(2)

tirupati-vāsa govinda, tirumalai -vāsa govinda,(2)

śrīnivāsa govinda, śrīveṅkaṭeśa govinda,

pāṇḍuraṅga govinda, paṇḍharī-nātha govinda,(2)

śrīnivāsa govinda, śrīveṅkaṭeśa govinda,

veṅkaṭa-ramaṇa govinda, saṅkaṭa-haraṇa govinda,(2)

śrīnivāsa govinda, śrīveṅkaṭeśa govinda,

purāṇa-puruṣa govinda, puṇḍarīkākṣa govinda.(2)

śrīnivāsa govinda, śrīveṅkaṭeśa govinda,

श्री कृष्ण
LORD KRISHNA (Śrī Kṛṣṇa)

Did you know . . . ?

The correct pronunciation for 'kṛṣṇa' is actually 'Krishna.'

Lord Kṛṣṇa is the pūrṇa-avatāra of Lord Viṣṇu, having all 16 kalās or perfect qualities. He is known for His infinite charm, smile, and beauty. He was so beautiful that, it is said, even precious jewels lost their shine and beauty before His!

Whether they were stories of cute baby Kṛṣṇa, or young naughty Kṛṣṇa, or loving dancing Kṛṣṇa, or strong protector Kṛṣṇa, or wise *Gītā* Kṛṣṇa, His stories have enchanted the world from time immemorial!

Śrī Kṛṣṇa, is the only form of God born in a jail cell, and that too, on the eighth day of the eighth lunar month, exactly at midnight!

Kṛṣṇa was born in Mathura, raised in Gokul and Vrindavan (a.k.a. Brindāban or Vraja/Brajabhūmī), and settled in Dvārakā (Dwaraka).

Kṛṣṇa had two sets of parents: Vasudeva and Devakī, and Nanda bābā and Yaśodā maiyā. His elder brother was Balarāma (Lord Viṣṇu's Śeṣanāga).

The name 'Kṛṣṇa' was given to Him by Ṛṣi Garga. Kṛṣṇa means 'dark (in colour)' and 'one who attracts everyone.'

Lord Kṛṣṇa's two best friends (both at different times), who were boys, were: Sudāmā and Arjuna (to whom He taught *Śrīmad Bhagavad-gītā*).

Lord Kṛṣṇa's best friend, who was a girl, has always been the one he grew up with in Vrindavan: Young Rādhārāṇī. Kṛṣṇa did not marry Rādhā. He always said: 'You, Rādhā, are my own Self.' Rādhā was one of the many gopīs who loved Kṛṣṇa, and they all grew in devotion to the Lord through His magical feats, musical flute, and divine games. Their love is the purest love the world has ever known to date.

Lord Kṛṣṇa has an infinite number of names, including: Govinda, Murāri, Acyuta, Kānhā, Nanda-kiśora, Viṭhṭhala, Vāsudeva, Gopāla, Giri-dhāri, Citta-cora, Navanīta-cora, Ghana-shyāma, Muralī-dhara, Pītāmbara-dhara, Gopī-lola, Rāsa-vilola, Naṭavara-nāgara, Rādhā-ramaṇa, Vanamāli, and Bāṅke Bihārī.

Some of Lord Kṛṣṇa's greatest and well-known devotees are Caitanya Mahāprabhū, Mīrābāi, Sūrdās, Tukārām, Purandaradāsa, Madhvācārya, Vallabhācārya, Kanakadāsa, Narsī Mehtā, and Āṇḍāl.

Lord Kṛṣṇa had (only) 16,108 wives! This is a very special story (as are all the stories in Kṛṣṇalīlā), for which you will have to read *Śrīmad Bhāgavatam* (Śrī Vedavyāsa's mahāpurāṇa scripture — and Śrī Kṛṣṇa says He is this book!)

Devotees often pray to Lord Kṛṣṇa to make them like His bamboo flute – hollow and ever-ready at His side — so He can play through them whatever tune He wants (make them do whatever He wants), whenever He wants. By this, devotees are sure that they will always have the Lord with them and they will always be made to do the right thing.

When Govinda played His flute in Vrindavan, it is said, all of 'Nature' joined in as His music band! Thunder gave the drum beats, lightning put on a terrific light show, the rivers added playful percussions, the wind blew in soft whispers, birds and bees hummed harmonious melodies, and sometimes even the raindrops danced on the drum called earth!

Peacocks have the most beautiful feathers among all birds. It is therefore fitting that a peacock feather sits on Śrī Kṛṣṇa's crown.

Kṛṣṇa's favourite foods, aside from milk, butter, khīr, and curds, included puffed rice – the kind He got from Sudāmā.

In His *Gītā,* Lord Kṛṣṇa says, 'Give Me anything with love – a fruit, a flower, a leaf, or even a drop of water – I will accept it joyfully.'

The mahāmantra for Lord Kṛṣṇa is 'om namo bhagavate vāsudevāya' or 'Śrī kṛṣṇa śaraṇaṁ mama.'

ध्यान श्लोकः

INVOCATION (Dhyāna Ślokaḥ)

१

कृष्णाय वासुदेवाय देवकी-नन्दनाय च।

नन्दगोप-कुमाराय गोविन्दाय नमो नमः॥

1

kṛṣṇāya vāsudevāya devakī-nandanāya ca,
nandagopa-kumārāya govindāya namo namaḥ.

Salutations to Govinda, who is Kṛṣṇa, the son of Vasudeva and Devakī, and the son of the cowherd Nanda bābā and Yaśodā maīyyā.

२

गीता श्लोकः अध्याय १८.६६

सर्व-धर्मान् परित्यज्य मामेकं शरणं व्रज।

अहं त्वा सर्व-पापेभ्यः मोक्षयिष्यामि मा शुचः॥

2

GĪTĀ VERSE : CHAPTER 18.66

sarva-dharmān-parityajya māmekaṁ śaraṇaṁ vraja,

ahaṁ tvā sarva-pāpebhyaḥ mokṣayiṣyāmi mā śucaḥ.

(Says Lord Kṛṣṇa to Arjuna and all devotees:) Abandoning all dharmas (of body, mind, intellect), take refuge in Me (the Truth) alone. I will liberate you from all sins. Have no doubt and grieve not.

मधुराष्टकम्

१

अधरं मधुरं वदनं मधुरं

नयनं मधुरं हसितं मधुरम्।

हृदयं मधुरं गमनं मधुरं

मधुराधिपतेरखिलं मधुरम्॥ (२)

२

वचनं मधुरं चरितं मधुरं

वसनं मधुरं वलितं मधुरम्।

चलितं मधुरं भ्रमितं मधुरं
मधुराधिपतेरखिलं मधुरम् ॥ (२)

३

वेणुर्मधुरो रेणुर्मधुरः
पाणिर्मधुरः पादौ मधुरौ ।
नृत्यं मधुरं सख्यं मधुरं
मधुराधिपतेरखिलं मधुरम् ॥ (२)

४

गीतं मधुरं पीतं मधुरं
भुक्तं मधुरं सुप्तं मधुरम् ।

रूपं मधुरं तिलकं मधुरं
मधुराधिपतेरखिलं मधुरम् ॥ (२)

५

करणं मधुरं तरणं मधुरं
हरणं मधुरं रमणं मधुरम् ।
वमितं मधुरं शमितं मधुरं
मधुराधिपतेरखिलं मधुरम् ॥ (२)

६

गुञ्जा मधुरा माला मधुरा
यमुना मधुरा वीची मधुरा ।
सलिलं मधुरं कमलं मधुरं
मधुराधिपतेरखिलं मधुरम् ॥ (२)

७

गोपी मधुरा लीला मधुरा
युक्तं मधुरं मुक्तं मधुरम् ।
दृष्टं मधुरं शिष्टं मधुरं
मधुराधिपतेरखिलं मधुरम् ॥ (२)

८

गोपा मधुरा गावो मधुरा
यष्टिर्मधुरा सृष्टिर्मधुरा ।
दलितं मधुरं फलितं मधुरं
मधुराधिपतेरखिलं मधुरम् ॥ (२)

MADHURĀṢṬAKAM

1

adharaṁ madhuraṁ vadanaṁ madhuraṁ
nayanaṁ madhuraṁ hasitaṁ madhuram,
hṛdayaṁ madhuraṁ gamanaṁ madhuraṁ
madhurādhipaterakhilaṁ madhuram. (2)

2

vacanaṁ madhuraṁ caritaṁ madhuraṁ
vasanaṁ madhuraṁ valitaṁ madhuram,
calitaṁ madhuraṁ bhramitaṁ madhuraṁ
madhurādhipaterakhilaṁ madhuram. (2)

3

veṇurmadhuro reṇurmadhuraḥ
pāṇirmadhuraḥ pādau madhurau,
nṛtyaṁ madhuraṁ sakhyaṁ madhuraṁ
madhurādhipaterakhilaṁ madhuram. (2)

4

gītaṁ madhuraṁ pītaṁ madhuraṁ
bhuktaṁ madhuraṁ suptaṁ madhuram,
rūpaṁ madhuraṁ tilakaṁ madhuraṁ
madhurādhipaterakhilaṁ madhuram. (2)

5

karaṇaṁ madhuraṁ taraṇaṁ madhuraṁ
haraṇaṁ madhuraṁ ramaṇaṁ madhuram,
vamitaṁ madhuraṁ śamitaṁ madhuraṁ
madhurādhipaterakhilaṁ madhuram. (2)

6

guñjā madhurā mālā madhurā
yamunā madhurā vīcī madhurā,
salilaṁ madhuraṁ kamalaṁ madhuraṁ
madhurādhipaterakhilaṁ madhuram. (2)

7

gopī madhurā līlā madhurā
yuktaṁ madhuraṁ muktaṁ madhuram,
dṛṣṭaṁ madhuraṁ śiṣṭaṁ madhuraṁ
madhurādhipaterakhilaṁ madhuram. (2)

8

gopā madhurā gāvo madhurā
yaṣṭirmadhurā sṛṣṭirmadhurā,
dalitaṁ madhuraṁ phalitaṁ madhuraṁ
madhurādhipaterakhilaṁ madhuram. (2)

कृष्णाष्टकम्

१

वसुदेव-सुतं देवं कंस-चाणूर-मर्दनम्।
देवकी-परमानन्दं कृष्णं वन्दे जगद्-गुरुम्॥

२

अतसी-पुष्प-सङ्काशं हार-नूपुर-शोभितम्।
रत्न-कङ्कण-केयूरं कृष्णं वन्दे जगद्-गुरुम्॥

३

कुटिलालक-संयुक्तं पूर्णचन्द्र-निभाननम्।
विलसत्कुण्डल-धरं देवं कृष्णं वन्दे जगद्-गुरुम्॥

४

मन्दार-गन्ध-संयुक्तं चारुहासं चतुर्भुजम्।
बर्हि-पिच्छाव-चूडाङ्गं कृष्णं वन्दे जगद्-गुरुम्॥

५

उत्फुल्ल-पद्म-पत्राक्षं नील-जीमूत-सन्निभम्।
यादवानां शिरोरत्नं कृष्णं वन्दे जगद्-गुरुम्॥

६

रुक्मिणी-केलि-संयुक्तं पीताम्बर-सुशोभितम्।
अवाप्त-तुलसी-गन्धं कृष्णं वन्दे जगद्-गुरुम्॥

७

गोपिकानां कुचद्वन्द्व-कुङ्कुमाङ्कित-वक्षसम्।
श्रीनिकेतं महेश्वासं कृष्णं वन्दे जगद्-गुरुम्॥

८

श्रीवत्साङ्कं महोरस्कं वनमाला-विराजितम्।
शङ्खचक्र-धरं देवं कृष्णं वन्दे जगद्-गुरुम्॥

कृष्णाष्टकम्-इदं पुण्यं प्रातरुत्थाय यः पठेत्।
कोटिजन्म-कृतं पापं स्मरणेन विनश्यति॥

KṚṢṆĀṢṬAKAM

1

vasudeva-sutaṁ devaṁ kaṁsa-caṇūra-mardanam,
devakī-paramānandaṁ kṛṣṇaṁ vande jagad-gurum.

2

atasī-puṣpa-saṅkāśaṁ hāra-nūpura-śobhitam,
ratna-kaṅkaṇa-keyūraṁ kṛṣṇaṁ vande jagad-gurum.

3

kuṭilālaka-saṁyuktaṁ pūrṇacandra-nibhānanam,
vilasatkuṇḍala-dharaṁ devaṁ kṛṣṇaṁ vande jagad-gurum.

4

mandāra-gandha-saṁyuktaṁ cāruhāsaṁ caturbhujam,
bahir-picchāva-cūḍāṅgaṁ kṛṣṇaṁ vande jagad-gurum.

5

utphulla-padma-patrākṣaṁ nīla-jīmūta-sannibham,
yādavānāṁ śiroratnaṁ kṛṣṇaṁ vande jagad-gurum.

6

rukmiṇī-keli-saṁyuktaṁ pītāmbara-suśobhitam,
avāpta-tulasī-gandhaṁ kṛṣṇaṁ vande jagad-gurum.

7

gopikānāṁ kucadvandva- kuṅkumāṅkita-vakṣasam,
śrīniketaṁ maheṣvāsaṁ kṛṣṇaṁ vande jagad-gurum.

8

śrīvatsāṅkaṁ mahoraskaṁ vanamālā-virājitam,
śaṅkhacakra-dharaṁ devaṁ kṛṣṇaṁ vande jagad-gurum.

kṛṣṇāṣṭakam-idaṁ puṇyaṁ prātarutthāya yaḥ paṭhet,
koṭijanma-kṛtaṁ pāpaṁ smaraṇena vinaśyati.

गीता ध्यानम्

१

ॐ पार्थाय प्रतिबोधितां भगवता नारायणेन स्वयं
व्यासेन ग्रथितां पुराण-मुनिना मध्ये महाभारतम्।
अद्वैतामृत-वर्षिणीं भगवतीं अष्टादशा-ध्यायिनीं
अम्ब त्वाम्-अनुसन्दधामि भगवद्गीते भवद्वेषिणीम्॥

२

नमोऽस्तु ते व्यास विशाल-बुद्धे फुल्लार-विन्दायतपत्र-नेत्र।
येन त्वया भारत-तैल-पूर्णः प्रज्वालितो ज्ञानमयः प्रदीपः॥

३

प्रपन्न-पारिजाताय तोत्रवेत्रैकपाणये।
ज्ञान-मुद्राय कृष्णाय गीतामृत-दुहे नमः॥

४

सर्वोपनिषदो गावो दोग्धा गोपाल-नन्दनः।
पार्थो वत्सः सुधीर्भोक्ता दुग्धं गीतामृतं महत्॥

५

वसुदेव-सुतं देवं कंस-चाणूर-मर्दनम्।
देवकी-परमानन्दं कृष्णं वन्दे जगद्-गुरुम्॥

६

भीष्म-द्रोण-तटा जयद्रथ-जला गान्धार-नीलोत्पला
शल्य-ग्राहवती कृपेण वहनी कर्णेन वेलाकुला।
अश्वत्थाम-विकर्ण-घोर-मकरा दुर्योधनावर्तिनी
सोत्तीर्णा खलु पाण्डवै रणनदी कैवर्तकः केशवः॥

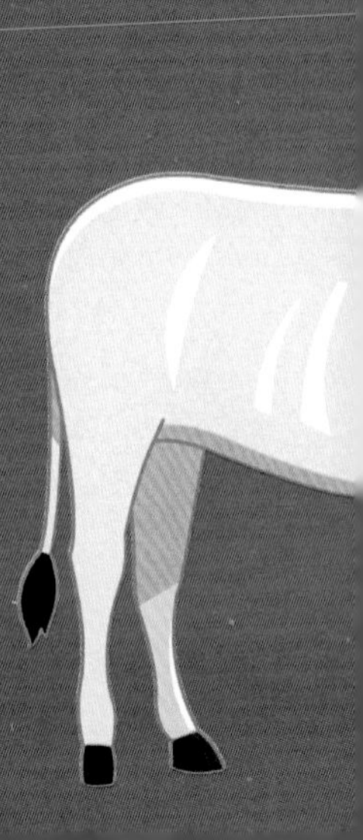

७

पाराशर्य-वचस्सरोजममलं गीतार्थ-गन्धोत्कटं
नानाख्यानक-केसरं हरिकथा-संबोधना-बोधितम्।
लोके सज्जन-षट्पदैरहरहः पेपीय-मानं मुदा
भूयाद् भारत-पङ्कजं कलिमल प्रध्वंसि नः श्रेयसे॥

८

मूकं करोति वाचालं पङ्गुं लङ्घयते गिरिम्।
यत्-कृपा तमहं वन्दे परमानन्द-माधवम्॥

९

यं ब्रह्मा-वरुणेन्द्र-रुद्र-मरुतः स्तुन्वन्ति-दिव्यैः स्तवैः
वेदैः साङ्ग-पद-क्रमोपनिषदैः गायन्ति यं सामगाः।
ध्यानावस्थित-तद्-गतेन मनसा पश्यन्ति यं योगिनो
यस्यान्तं न विदुः सुरासुर-गणाः देवाय तस्मै नमः॥

GĪTĀ-DHYĀNAM

1

om pārthāya pratibodhitāṁ bhagavatā nārāyaṇena svayaṁ
vyāsena grathitāṁ purāṇa-muninā madhye mahābhāratam,
advaitāmṛta-varṣiṇīṁ bhagavatīṁ aṣṭādaśā-dhyāyinīṁ
amba tvām-anusandadhāmi bhagavadgīte bhavadveṣiṇīm.

2

namo'stu te vyāsa viśāla-buddhe phullāra-vindāyatapatra-netra,
yena tvayā bhārata-taila-pūrṇaḥ prajvālito jñānamayaḥ pradīpaḥ.

3

prapanna-pārijātāya totravetraikapāṇaye,
jñāna-mudrāya kṛṣṇāya gītāmṛta-duhe namaḥ.

4

sarvopaniṣado gāvo dogdhā gopāla-nandanaḥ,
pārtho vatsaḥ sudhirbhoktā dugdhaṁ gītāmṛtaṁ mahat.

5

vasudeva-sutaṁ devaṁ kamsa-cāṇūra-mardanam,
devakī-paramānandaṁ kṛṣṇaṁ vande jagad-gurum.

6

bhīṣma-droṇa-taṭā jayadratha-jalā gāndhāra-nīlotpalā
śalya-grāhavatī kṛpeṇa vahanī karṇena velākulā,
aśvatthāma-vikarṇa-ghora-makarā duryodhanāvartinī
sottirṇā khalu pāṇḍavai raṇanadī kaivartakaḥ keśavaḥ.

7

pārāśarya-vacaḥsarojamamalaṁ gītārtha-gandhotkaṭaṁ
nānākhyānaka-kesaraṁ harikathā-sambodhanā-bodhitam,
loke sajjana-ṣaṭpadairaharahaḥ pepīya-mānaṁ mudā
bhūyād bhārata-paṅkajaṁ kalimala pradhvaṁsi naḥ śreyase.

8

mūkaṁ karoti vācālaṁ paṅguṁ laṅghayate girim,
yat-kṛpā tamahaṁ vande paramānanda-mādhavam.

9

yaṁ brahmā-varuṇendra-rudra marutaḥ stunvanti-divyaiḥ stavaiḥ
vedaiḥ sāṅga-pada-kramopaniṣadaiḥ gāyanti yaṁ sāmagāḥ,
dhyānāvasthita-tad-gatena manasā paśyanti yaṁ yogino
yasyāntaṁ na viduḥ surāsura-gaṇāḥ devāya tasmai namaḥ.

भजन

BHAJANS

१

रात श्याम सपने में आए।
दहिया पी गए स-द द द द द द द॥

जब ही श्याम ने खिड़की खोली।
खिड़की बोली च-र र र र र र र र॥ (२)

जब ही श्याम ने बहियाँ पकड़ी।
कँगना बोले ख-न न न न न न न॥ (२)

जब ही श्याम ने चुनरी ओढ़ी।
चुनरी उड़ गई स-र र र र र र र र॥ (२)

जब ही श्याम ने बंसी बजाई।
होश उड़ गए फ-र र र र र र र॥ (२)

चन्द्र-सखी भज बाल-कृष्ण-छबि।
भव-सागर गए (३) त-र र र र र र र॥ (२)

रात श्याम सपने में आए।
दहिया पी गए स-द द द द द द द॥
खिड़की बोली च-र र र र र र र॥

कँगना बोले ख-न न न न न न न॥
चुनरी उड़ गई स-र र र र र र र॥
होश उड़ गए फ-र र र र र र र॥
भव-सागर गए (३) त-र र र र र र र॥
रात श्याम सपने में आए।
दहिया पी गए स-द द द द द द द॥
रात श्याम सपने में आए॥

1

rāta śyāma sapane meṁ āe,
dahīyā pī gae sa-da da da da da da da.

jaba hī śyāma ne khiḍakī kholī,
khiḍakī bolī ca-ra ra ra ra ra ra ra. (2)

jaba hī śyāma ne bahiyāṁ pakaṛī,
kaṁganā bole kha-na na na na na na na. (2)

jaba hī śyāma ne cunarī oḍhī,
cunarī uḍa gaī sa-ra ra ra ra ra ra ra. (2)

jaba hī śyāma ne baṁsī bajāī,
hośa uḍa gae pha-ra ra ra ra ra ra ra. (2)

candra-sakhī bhaja bāla-kṛṣṇa-chabi,
bhava-sāgara gae (3) ta-ra ra ra ra ra ra ra. (2)

rāta śyāma sapane meṁ āe,
dahīyā pī gae sa-da da da da da da da.
khiḍakī bolī ca-ra ra ra ra ra ra ra.
kaṁganā bole kha-na na na na na na na.
cunarī uḍa gaī sa-ra ra ra ra ra ra ra.
hośa uḍa gae pha-ra ra ra ra ra ra ra.
bhava-sāgara gae (3) ta-ra ra ra ra ra ra ra.
rāta śyāma sapane meṁ āe,
dahīyā pī gae sa-da da da da da da da.
rāta śyāma sapane meṁ āe.

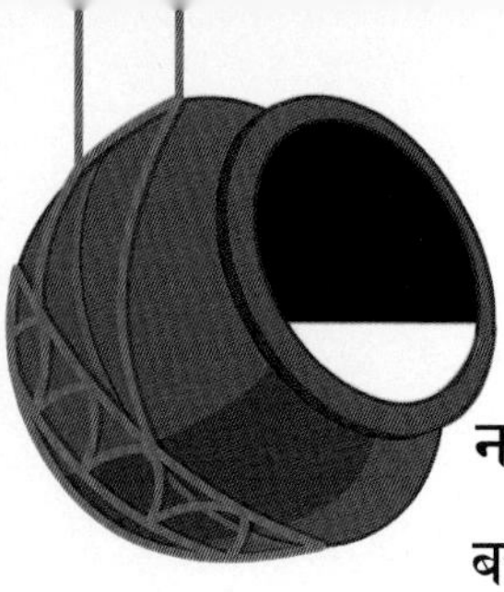

२

नन्द्-बाबाजी को छैंया वाको नाम है कन्हैया कन्हैया कन्हैया हो ।
बड़ो गेन्द् को खेलैया आयो आयो रे कन्हैया कन्हैया कन्हैया हो ॥

काहे की गेन्द् है काहे का बल्ला गेन्द् में लागे है काहे का छल्ला ।
कौन ग्वाल संग खेलन आए दे के ता ता थैया ओ गुँया कन्हैया कन्हैया
कन्हैया हो ॥

रेशम की गेन्द् है चन्दन का बल्ला गेन्द् में लागे है मोती का छल्ला ।
सुधर मन्सुखा खेलन आए दे के ता ता थैया ओ गुँया कन्हैया कन्हैया
कन्हैया हो ॥

नीली जमुना है नीला गगन है नीले कन्हैया नीला कदम्ब है ।
सुधर श्याम के सुधर खेलमें नीले खेल खेलैया ओ गुँया कन्हैया कन्हैया
कन्हैया हो ॥
बड़ो गेन्द् को खेलैया आयो आयो रे कन्हैया कन्हैया कन्हैया हो ॥
कन्हैया कन्हैया हो ॥ (२)

nanda-bābājī ko chaiṁyā vāko nāma hai kanhaiyā kanhaiyā
kanhaiyā ho,
baḍo genda ko khelaiyā āyo āyo re kanhaiyā kanhaiyā kanhaiyā ho.

kāhe kī genda hai kāhe kā ballā genda meṁ lāge hai kāhe kā challā,
kauna gvāla saṅga khelana āe de ke tā tā thaiyā o guṁyā kanhaiyā.
kanhaiyā kanhaiyā ho.
reśama kī genda hai candana kā ballā genda meṁ lāge hai motī kā challā,

sudhara mansukhā khelana āe de ke tā tā thaiyā o guṁyā kanhaiyā
kanhaiyā kanhaiyā ho.

nīlī jamunā hai nīlā gagana hai nīle kanhaiyā nīlā kadamba hai,
sudhara śyāma ke sudhara khelameṁ nīle khela khelaiyā o guṁyā
kanhaiyā kanhaiyā kanhaiyā ho.
baḍo genda ko khelaiyā āyo āyo re kanhaiyā kanhaiyā kanhaiyā ho.
kanhaiyā kanhaiyā ho. (2)

३

आना रे ओ मेरा कान्हा बड़ा अलबेला। मेरी मटकी को मार गयो ढेला॥
आना रे ओ मेरा कान्हा बड़ा अलबेला। मेरी मटकी को मार गयो ढेला॥

कभी गंगा किनारे। कभी यमुना किनारे। (२)
कभी सरयू किनारे अकेला। मेरी मटकी को मार गयो ढेला॥
आना रे ओ मेरा कान्हा बड़ा अलबेला। मेरी मटकी को मार गयो ढेला॥

कभी गौवों के संग। कभी ग्वालों के संग। (२)
कभी गोपीयों के संग अकेला। मेरी मटकी को मार गयो ढेला॥
आना रे ओ मेरा कान्हा बड़ा अलबेला। मेरी मटकी को मार गयो ढेला॥

कभी राधा के संग। कभी मीरा के संग। (२)
कभी रुक्मिणी के संग अकेला। मेरी मटकी को मार गयो ढेला॥
आना रे ओ मेरा कान्हा बड़ा अलबेला। मेरी मटकी को मार गयो ढेला॥

कभी व्यास के संग। कभी वाल्मिकि के संग। (२)
कभी चिन्मय के संग अकेला। मेरी मटकी को मार गयो ढेला॥
आना रे ओ मेरा कान्हा बड़ा अलबेला। मेरी मटकी को मार गयो ढेला॥

3

ānā re o merā kānhā baḍā alabelā, merī maṭakī ko māra gayo ḍhelā.
ānā re o merā kānhā baḍā alabelā, merī maṭakī ko māra gayo ḍhelā.

kabhī gaṅgā kināre, kabhī yamunā kināre, (2)
kabhī sarayu kināre akelā, merī maṭakī ko māra gayo ḍhelā.
ānā re o merā kānhā baḍā alabelā, merī maṭakī ko māra gayo ḍhelā.

kabhī gauvoṁ ke saṅga, kabhī gvāloṁ ke saṅga, (2)
kabhī gopīyoṁ ke saṅga akelā, merī maṭakī ko māra gayo ḍhelā.
ānā re o merā kānhā baḍā alabelā, merī maṭakī ko māra gayo ḍhelā.

kabhī rādhā ke saṅga, kabhī mīrā ke saṅga, (2)
kabhī rukmiṇī ke saṅga akelā, merī maṭakī ko māra gayo ḍhelā.
ānā re o merā kānhā baḍā alabelā, merī maṭakī ko māra gayo ḍhelā.

kabhī vyāsa ke saṅga, kabhī vālmiki ke saṅga, (2)
kabhī cinmaya ke saṅga akelā, merī maṭakī ko māra gayo ḍhelā.
ānā re o merā kānhā baḍā alabelā, merī maṭakī ko māra gayo ḍhelā.

४

आना रे ओ कान्हा आना रे। आना रे ओ कान्हा आना रे। (२)
आना श्याम प्यारे हो॥
आना श्याम प्यारे लाना राधे को प्यारे।
रास तू रचाना रे आ आ आजा रे। आ आ आजा रे।
आना श्याम प्यारे हो॥
लाना मुरलिया रे बजाना मीठी धुन रे। (२)
सिखाना हमें प्रेम रे (२) आ आ आजा रे। आ आ आजा रे।
आना श्याम प्यारे हो॥
नन्द-बाबा और यशोदा देते तुझपे प्राण रे।
गोकुल वृन्दावन में देते सब मान रे।
दोस्ती करो तो हमसे हमरी होगी शान रे आ आ आजा रे। आ आ आजा रे।
आना श्याम प्यारे हो॥

4

ānā re o kānhā ānā re, ānā re o kānhā ānā re, (2)
ānā śyāma pyāre ho.
ānā śyāma pyāre lānā rādhe ko pyāre,

rāsa tū racānā re ā ā ājā re, ā ā ājā re,
ānā śyāma pyāre ho.
lānā muraliyā re bajānā mīṭhī dhuna re, (2)
sikhānā hameṁ prema re (2) ā ā ājā re, ā ā ājā re,
ānā śyāma pyāre ho.
nanda-bābā aur yaśodā dete tujhape prāṇa re,
gokula vṛndāvana meṁ dete saba māna re,
dostī karo to hamase hamarī hogī śāna re ā ā ājā re, ā ā ājā re.
ānā śyāma pyāre ho.

५

गोविन्द जय जय गोपाल जय जय राधा-रमण हरि गोविन्द जय जय ॥
हरि हरि गोविन्द राधे-गोविन्द राधे-गोविन्द राधे-गोविन्द ॥

5

govinda jaya jaya gopāla jaya jaya rādhā-ramaṇa hari govinda jaya jaya.
hari hari govinda rādhe-govinda rādhe-govinda rādhe-govinda.

६

गोविन्द हरे गोपाल हरे हे गोपी-गोप-बाल ।
गोविन्द हरे गोपाल हरे हे मुरली-गान-लोल ।
गोविन्द हरे गोपाल हरे हे राधा-रमण-लोल ।
गोविन्द हरे गोपाल हरे हे नन्द-गोप-बाल ॥

6

govinda hare gopāla hare he gopī-gopa-bāla,
govinda hare gopāla hare he muralī-gāna-lola,

govinda hare gopāla hare he rādhā-ramaṇa-lola,
govinda hare gopāla hare he nanda-gopa-bāla.

७

बाल गोपाल नील-मेघश्याम ।
प्रेम भरो दिल में हमारे घनश्याम ॥
हमारे घनश्याम बड़े प्यारे घनश्याम ।
संग रहो हर दम हमारे घनश्याम ॥
गोविन्द हरि गोपाल हरि गोवर्धन-गिरिधारी ।
श्याम-सुन्दर मदन-मोहन वृन्दावन-विहारी ॥

7

bāla gopāla nīla-meghaśyāma,
prema bharo dila meṁ hamāre ghanaśyāma.
hamāre ghanaśyāma baḍe pyāre ghanaśyāma,
saṅga raho hara dama hamāre ghanaśyāma.
govinda hari gopāla hari govardhana-giridhārī,
śyāma-sundara madana-mohana vṛndāvana-vihārī.

८

गोपाल राधे-कृष्ण गोविन्द गोविन्द गोपाल गोपाल गोपाल गोपाल ।
गोविन्द गोविन्द गोपाल राधे-कृष्ण गोविन्द गोविन्द गोपाल ॥ (२)

8

gopāla rādhe-kṛṣṇa govinda govinda gopāla gopāla gopāla gopāla,
govinda govinda gopāla rādhe-kṛṣṇa govinda govinda gopāla. (2)

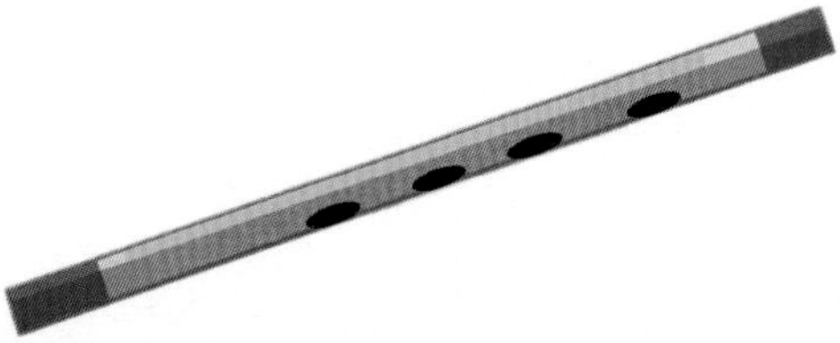

९

राधा-कृष्ण कुञ्ज-विहारी मुरलीधर गोवर्धन-धारी ।

शङ्ख-चक्र-पीताम्बर-धारी करुणा-सागर कृष्ण मुरारी ।

कृष्ण मुरारि केशव मुरारी माधव मुरारि मधुसूदन मुरारी ॥

9

rādhā-kṛṣṇa kuñja-vihārī muralīdhara govardhana-dhārī,

śaṅkha-cakra-pītāmbara-dhārī karuṇa-sāgara kṛṣṇa murārī,

kṛṣṇa murāri keśava murārī mādhava murāri madhusūdana murāri.

१०

हे नन्दलाल हे नन्दलाल (२) गोपि मनोहर गोकुल बाल । (२)

विश्व वन्दित विजय गोपाल (२) वेद वेदान्त वेणु गोपाल । (२)

गान विलोल राज गोपाल (२) राधा वल्लभ रास विलोल । (२)

जय जय गोविन्द जय हरि गोविन्द ॥ (४)

10

he nandalāla he nandalāla (2) gopi manohara gokula bāla, (2)

viśva vandita vijaya gopāla (2) veda vedānta veṇu gopāla, (2)

gāna vilola rāja gopāla (2) rādhā vallabha rāsa vilola, (2)

jaya jaya govinda jaya hari govinda. (4)

११

राधे राधे राधे राधे राधे-गोविन्द ।

वृन्दावन-चन्द (२) अनाथ-नाथ दीन-बन्धु राधे-गोविन्द ॥

नन्द-कुमार नवनीत-चोर राधे-गोविन्द ।
पुराण-पुरुष पुण्य-श्लोक राधे-गोविन्द ।
पंढरिनाथ पाण्डुरंग राधे-गोविन्द ।
जय जय विठ्ठल जय हरि विठ्ठल राधे-गोविन्द ॥

11

rādhe rādhe rādhe rādhe rādhe-govinda,
vṛndāvana-canda (2) anātha-nātha dīna-bandhu rādhe-govinda.

nanda-kumara navanīta-cora rādhe-govinda,
purāṇa-puruṣa puṇya-śloka rādhe-govinda,
panḍharinātha pāṇḍuraṅga rādhe-govinda,
jaya jaya viṭhṭhala jaya hari viṭhṭhala rādhe-govinda.

१२

come here, my dear कृष्ण कन्हैया ।
मैंने तेरे लिये हृदय अंदर मंदिर बनाया ॥

for you, my dear खाना बनाया ।
butter मिश्रि दूध दही खूब मंगाया ।
so much delay, so much delay तुमने लगाया ।
मैंने तेरे लिये हृदय अंदर मंदिर बनाया ॥

remembering everyday आँसू बहाऊँ ।
come home, my dear आरति दिखाऊँ ।

why far, why far रहे कन्हैया।
मैंने तेरे लिये हृदय अंदर मंदिर बनाया॥
12.
come here, my dear, kṛṣṇa kanhaiyā,
maiṁne tere liye hṛdaya andara mandira banāyā.

for you, my dear, khānā banāyā,
butter, miśri dūdha dahī khūba maṅgāyā,
so much delay, so much delay tumne lagāyā,
maiṁne tere liye hṛdaya andara mandira banāyā.

remembering everyday, ām̐sūṁ bahāūm̐,
come home, my dear, ārati dikhāūm̐,
why far, why far rahe kanhaiyā,
maiṁne tere liye hṛdaya andara mandira banāyā.

१३
भज मन राधे-गोविन्द।
भज मन राधे राधे राधे राधे राधे-गोविन्द॥

भज मन गोवर्धन-गिरिधारी।
भज मन वृन्दावन-सञ्चारी।
भज मन राधे राधे राधे राधे राधे-गोविन्द।
भज मन राधे राधे राधे राधे राधे राधे राधे राधे राधे-गोविन्द॥
भज मन यमुना-तीर-विहारी।

भज मन राधा-चेतो-हारी ।

भज मन राधे राधे राधे राधे राधे-गोविन्द ।

भज मन राधे राधे राधे राधे राधे राधे राधे राधे राधे-गोविन्द ॥

13

bhaja mana rādhe-govinda,
bhaja mana rādhe rādhe rādhe rādhe rādhe-govinda.

bhaja mana govardhana-giridhārī,
bhaja mana vṛndāvana-sañcārī,
bhaja mana rādhe rādhe rādhe rādhe rādhe-govinda,
bhaja mana rādhe rādhe rādhe rādhe rādhe rādhe rādhe rādhe rādhe-govinda.

bhaja mana yamunā-tīra-vihārī,
bhaja mana rādhā-ceto-hārī,
bhaja mana rādhe rādhe rādhe rādhe rādhe-govinda,
bhaja mana rādhe rādhe rādhe rādhe rādhe rādhe rādhe rādhe rādhe-govinda.

१४

गोपाला वृन्दावन-बाल गोपी-लोल गोकुल-बाल ।

मुरली-लोल मुनि-जन-पाल सुर-मुनि-वंदित-गोपाल-बाल ॥

14

gopālā vṛndāvana-bāla gopī-lola gokula-bāla,
muralī-lola muni-jana-pāla sura-muni-vandita-gopāla-bāla.

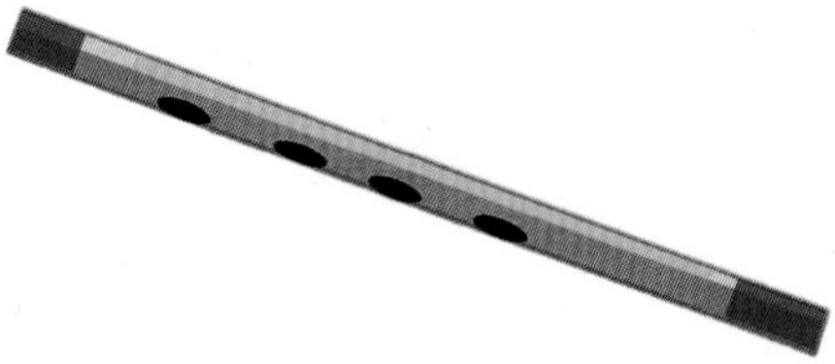

१५

मुरलि-मनोहर राधे-श्याम गोपी-वल्लभ राधे-श्याम ।
देवकि-नन्दन राधे-श्याम राधे-श्याम जय राधे-श्याम ।
वेणु-विलोल राधे-श्याम विजय-गोपाल राधे-श्याम ।
नन्द्-कुमार राधे-श्याम नवनीत-चोर राधे-श्याम ॥

15

murali-manohara rādhe-śyāma gopī-vallabha rādhe-śyāma,
devaki-nandana rādhe-śyāma rādhe-śyāma jaya rādhe-śyāma,
veṇu-vilola rādhe-śyāma vijaya-gopāla rādhe-śyāma,
nanda-kumāra rādhe-śyāma navanīta-cora rādhe-śyāma.

१६

नन्दलाला यदु-नन्दलाला वृन्दावन-गोविन्दलाला ।
राधालोला नन्दलाला राधा-माधव नन्दलाला ॥

16

nandalālā yadu-nandalālā vṛndāvana-govindalālā,
rādhālolā nandalālā rādhā-mādhava nandalālā.

१७

गोपाल गोपाल गोकुल-नन्दन गोपाल ।
नन्द-कुमार गोपाल नवनीत-चोर गोपाल ।
आपद्-बान्धव अनाथ-रक्षक अखिलाधार गोपाल ॥

17

gopāla gopāla gokula-nandana gopāla,
nanda-kumāra gopāla navanīta-cora gopāla,
āpad-bāndhava anātha-rakṣaka akhilādhāra gopāla.

१८

हरे मुरारे मधु-कैटभारे गोविन्द गोपाल मुकुन्द शौरे ।
अनन्त श्रीधर गोविन्द केशव मुकुन्द माधव नारायण ।
देवकी-तनय गोपिका-रमण भक्त-उद्धरण त्रिविक्रम ॥

18

hare murāre madhu-kaiṭabhāre govinda gopāla mukunda śaure,
ananta śrīdhara govinda keśava mukunda mādhava nārāyaṇa,
devakī-tanaya gopīkā-ramaṇa bhakta-uddharaṇa trivikrama.

१९

राधे-गोविन्द भजो राधे-गोपाल । (२)
राधे-गोविन्द भजो (३) राधे-गोपाल ॥

श्याम-सुन्दर मदन मोहन राधे-गोपाल ।
मुरली-मनोहर राधे-गोपाल ॥

शङ्ख-चक्र-गदा-धर राधे-गोपाल ।
मुरली-मनोहर राधे-गोपाल ॥

19

rādhe-govinda bhajo rādhe-gopāla, (2)
rādhe-govinda bhajo (3) rādhe-gopāla.

śyāma-sundara madana mohana rādhe-gopāla,
muralī-manohara rādhe-gopāla.

śaṅkha-cakra-gadā-dhara rādhe-gopāla,
muralī-manohara rādhe-gopāla.

२०

आजा बंसी बजाने-वाला आजा गौंवे चराने-वाला ।
आजा माखन चुराने-वाला आजा गीता सुनाने-वाला ॥

20

ājā baṁsī bajāne-vālā ājā gauṁve caṛāne-vālā,
ājā mākhana curāne-vālā ājā gītā sunāne-vālā.

२१

कृष्ण गोविन्द गोविन्द गोपाल नन्दलाल ।
राधे गोविन्द गोविन्द गोपाल नन्दलाल ॥

मेरो यशोदा को लाल मेरो यशोदा को लाल ।
यशोदा को लाल मेरो यशोदा को लाल ॥

मेरो नन्दजी को लाल मेरो नन्दजी को लाल ।
नन्दजी को लाल मेरो नन्दजी को लाल ॥

मेरो मदनगोपाल मेरो मदनगोपाल ।
मदनगोपाल मेरो मदनगोपाल ॥

मेरो कुंजबिहारी लाल मेरो कुंजबिहारी लाल ।
कुंजबिहारी लाल मेरो कुंजबिहारी लाल ॥

मेरो छोटो सो गोपाल मेरो छोटो सो गोपाल ।
छोटो सो गोपाल मेरो छोटो सो गोपाल ॥

मेरो राधावल्लभ लाल मेरो राधावल्लभ लाल ।
राधावल्लभ लाल मेरो राधावल्लभ लाल ॥

21

kṛṣṇa govinda govinda gopāla nandalāla,
rādhe govinda govinda gopāla nandalāla.

mero yaśodā ko lāla mero yaśodā ko lāla,
yaśodā ko lāla mero yaśodā ko lāla.

mero nandajī ko lāla mero nandajī ko lāla,
nandajī ko lāla mero nandajī ko lāla.

mero madanagopāla mero madanagopāla,
madanagopāla mero madanagopāla.

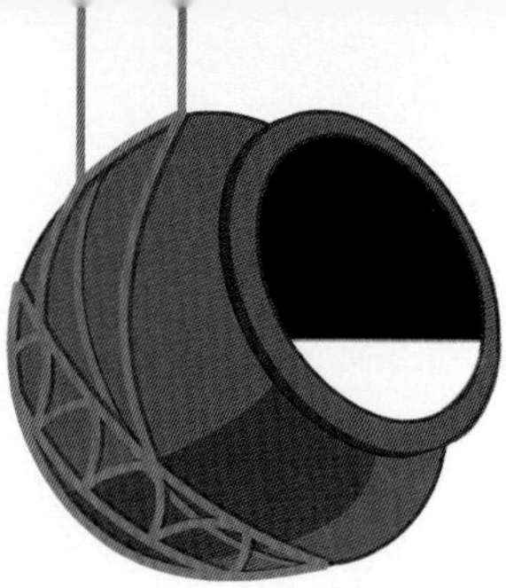

mero kunjabihārī lāl mero kunjabihārī lāl,
kunjabihārī lāl mero kunjabihārī lāl.

mero choṭo so gopāla mero choṭo so gopāla,
choṭo so gopāla mero choṭo so gopāla.

mero rādhāvallabha lāla mero rādhāvallabha lāla,
rādhāvallabha lāla mero rādhāvallabha lāla.

२२

तारा है सारा जमाना प्रभु हमको भी तारो ॥

हमने सुना है के द्रौपदी को तारा ।
द्रौपदी को तारा प्रभु हमें क्यों बिसारा ।
दुःशासन का लेके बहाना प्रभु हमको भी तारो ॥

हमने सुना है के गोपियों को तारा ।
गोपियों को तारा प्रभु हमें क्यों बिसारा ।
मुरली का लेके बहाना प्रभु हमको भी तारो ॥

हमने सुना है के ग्वालों को तारा ।
ग्वालों को तारा प्रभु हमें क्यों बिसारा ।
गौओं का लेके बहाना प्रभु हमको भी तारो ॥

हमने सुना है के अर्जुन को तारा ।
अर्जुन को तारा प्रभु हमें क्यों बिसारा ।
गीता का लेके बहाना प्रभु हमको भी तारो ॥

हमने सुना है के सुदामा को तारा ।
सुदामा को तारा प्रभु हमें क्यों बिसारा ।
दोस्ती का लेके बहाना प्रभु हमको भी तारो ॥
22
Tārā hai sārā jamānā prabhu hamako bhī tāro.

hamane sunā hai ke draupadī ko tārā,
draupadī ko tārā prabhu hameṁ kyoṁ bisārā,
duḥśāsana kā leke bahānā prabhu hamako bhī tāro.

hamane sunā hai ke gopiyoṁ ko tārā,
gopiyoṁ ko tārā prabhu hameṁ kyoṁ bisārā,
muralī kā leke bahānā prabhu hamako bhī tāro.

hamane sunā hai ke gvāloṁ ko tārā,
gvāloṁ ko tārā prabhu hameṁ kyoṁ bisārā,
gauoṁ kā leke bahānā prabhu hamako bhī tāro.

hamane sunā hai ke arjuna ko tārā,
arjuna ko tārā prabhu hameṁ kyoṁ bisārā,
gītā kā leke bahānā prabhu hamako bhī tāro.

hamane sunā hai ke sudāmā ko tārā,
sudāmā ko tārā prabhu hameṁ kyoṁ bisārā,
dostī kā leke bahānā prabhu hamako bhī tāro.

२३

जय जय राधा रमण हरि बोल। (२)

हरि बोल॥ (४)

मन मेरा बोले राधेकृष्ण तन मेरा बोले राधेकृष्ण जय जय राधा

धड़कन बोले राधेकृष्ण हर पल बोले राधकृष्ण जय जय राधा

अंतर बोले राधेकृष्ण रोम रोम बोले राधेकृष्ण जय जय राधा

वृंदावन में राधेकृष्ण बरसाने में राधेकृष्ण जय जय राधा

गोवर्धन में राधेकृष्ण नन्दगाँव में राधेकृष्ण जय जय राधा

मुनिजन बोलें राधेकृष्ण गुणिजन बोलें राधेकृष्ण जय जय राधा

हम सब बोलें राधेकृष्ण सब जन बोलें राधेकृष्ण जय जय राधा

हम सब बोलें राधेकृष्ण सब जन बोलें राधेकृष्णजय जय राधा

23

jaya jaya rādhā ramaṇa hari bola, (2)

hari bola. (4)

mana merā bole rādhekṛṣṇa tana merā bole rādhekṛṣṇa

jaya jaya rādhā.

dhaḍakana bole rādhekrsna hara pala bole rādhekṛṣṇa

jaya jaya rādhā.

antara bole rādhekṛṣṇa roma roma bole rādhekṛṣṇa

jaya jaya rādhā.

vṛndāvana meṁ rādhekṛṣṇa barasāne meṁ rādhekṛṣṇa
jaya jaya rādhā.
govardhana meṁ rādhekṛṣṇa nandagām̐va meṁ rādhekṛṣṇa
jaya jaya rādhā.
munijana boleṁ rādhekṛṣṇa guṇijana boleṁ rādhekṛṣṇa
jaya jaya rādhā.
hama saba boleṁ rādhekṛṣṇa saba jana boleṁ rādhekṛṣṇa
jaya jaya rādhā.
hama saba boleṁ rādhekṛṣṇa saba jana boleṁ rādhekṛṣṇa
jaya jaya rādhā.

श्री राम

LORD RAMA (Śrī Rāma)

Did you know . . . ?

As mischievous was Lord Kṛṣṇa's personality, so straightforward was Lord Rāma's. Lord Rāma is known as the ultimate protector and follower of dharma and truth.

As Śrī Rāma is said to be the ideal son, king, husband, brother, friend, and warrior, mother Sītā is known to be the ideal wife and the ideal symbol of devotion and service.

Equal in beauty and charm to Śrī Kṛṣṇa, Lord Rāma was completely Śrī Kṛṣṇa's opposite in that 1) Lord Rāma was born on the ninth day of the first Hindu calender month, exactly at noon and 2) Lord Rāma was the elder brother of Lakṣmaṇa (Śeṣanāga).

Hinduism's two great literary and historical epics are *Rāmāyaṇa* and *Mahābhārata*. Various authors have written the *Rāmāyaṇa* according to their own visions of the Lord and His glories. The most popular texts are: *Tulasī Rāmāyaṇa* (or *Rāma-carita-mānasa*) by Santa Tulasīdāsa, *Vālmīki Rāmāyaṇa* by Sage Valmīki, *Adhyātma Rāmāyaṇa* by Śrī Vedavyāsa, and *Kamba Rāmāyaṇa* by Kavi Kamba.

Lord Rāma's many names include Kodaṇḍa Rāma, Raghunātha, Kausalyā-nandana, and Dāśaratha. His life highlights the great benefits and joy of chanting God's name, and that the Lord's name is more powerful than the Lord Himself!

Some of Lord Rāma's greatest and well known devotees are: Gosvāmī Tulasīdāsa, Kabīrdāsa, Samartha Rāmdāsa, Tyāgarāja, Svāmī Rāmatīrtha, and Pāpā Rāmdāsa.

Lord Rāma's sweetness and compassion are as undeniable and immeasurable as Lord Kṛṣṇa's playfulness and joy.

The mahāmantra for Lord Rāma is 'śrī rāma jaya rāma jaya jaya rāma.'

ध्यान श्लोकः
INVOCATIONS (Dhyāna Ślokaḥ)

१

आपदामपहर्तारं दातारं सर्व-सम्पदाम्।
लोकाभिरामं श्रीरामं भूयो भूयो नमाम्यहम्॥

1

āpadāmapahartāraṁ dātāraṁ sarva-sampadām,
lokābhirāmaṁ śrīrāmaṁ bhūyo bhūyo namāmyaham.

I repeatedly bow down to Lord Rāma, the remover of all calamities, the granter of all prosperity, and the delight of the entire world.

२

श्री राम रामेति रामेति रमे रामे मनोरमे।
सहस्रनाम तत्तुल्यं राम-नाम वरानने॥

2

śrī rāma rāmeti rāmeti rame rāme manorame,
sahasranāma tattulyaṁ rāma-nāma varānane.

Oh! Gracious! By ever repeating 'śrī rāma rāma rāma' in my mind, I revel in Lord Rāma, the one who delights all minds, Saying the name 'Rāma' even once is equal to reciting all the thousand names of the Lord (Viṣṇu-sahasranāma).

३

नीलाम्बुज-श्यामल-कोमलाङ्गं सीता-समारोपित-वामभागम्।
पाणौ महासायक-चारुचापं नमामि रामं रघुवंश-नाथम्॥

3

nīlāmbuja-śyāmala-komalāṅgaṁ sīta-samāropita-vāmabhāgam,
pāṇau mahāsāyaka-cārucāpaṁ namāmi rāmaṁ raghuvaṁśa-nātham.

I bow down to Lord Rāma, the foremost among the Raghu dynasty, whose handsome, dark blue body is like the blue lotus, who has devī Sītā seated on His left side, who wields a beautiful bow, and has powerful arrows in His hands.

४

ॐ नमः श्री-तुलसीदास-सद्-वरिष्ठाय धीमते।
पूरितं हृदयं येन राम-प्रेमामृतेन मे॥

4

om namaḥ śrī-tulasīdāsa-sad-variṣṭhāya dhīmate,
pūritaṁ hṛdayaṁ yena rāma-premāmṛtena me.

Salutations to the wise Gosvāmī Tulasīdāsa, who is the best among saints, who purified my heart by filling it with love for Lord Rāma.

५

बिनु सतसंग बिबेक न होई रामकृपा बिनु सुलभ न सोई।
सतसंगति मुद मंगल मूला सोई फल सिधि सब साधन फूला ॥

5

binu satasaṅga bibeka na hoī rāmakṛpā binu sulabha na soī,
satasaṅgati muda maṅgala mūlā soī phala sidhi saba sādhana phūlā.

Wisdom does not dawn without the company of saints, and such communion cannot be easily enjoyed without Lord Rāma's grace. Fellowship with the saints is the root of all joy and fortune; its flowers are good deeds, and its fruit is the attainment of Perfection (God).

नाम रामायणम्

॥ बालकाण्डम् ॥

शुद्ध-ब्रह्म-परात्पर राम ।

कालात्मक-परमेश्वर राम ।

शेषतल्प-सुख-निद्रित राम ।

ब्रह्माद्यमर-प्रार्थित राम ।

चण्ड-किरण-कुल-मण्डन राम ।

श्रीमद्-दशरथ-नन्दन राम ।

कौसल्या-सुख-वर्धन राम ।

विश्वामित्र-प्रिय-धन राम ।

घोर-ताटका-घातक राम ।

मारीचादि-निपातक राम ।

कौशिक-मख-संरक्षक राम ।

श्रीमद्-अहल्योद्धारक राम ।

गौतम-मुनि-संपूजित राम ।

सुर-मुनि-वर-गण-संस्तुत राम ।

नाविक-धाविक-मृदुपद राम ।

मिथिला-पुर-जन-मोहक राम ।

विदेह-मानस-रञ्जक राम ।

त्र्यम्बक-कार्मुक-भञ्जक राम ।

सीतार्पित-वर-मालिक राम ।

कृत-वैवाहिक-कौतुक राम ।

भार्गव-दर्प-विनाशक राम ।
श्रीमद्-अयोध्या-पालक राम ।
राम राम जय राजा राम । राम राम जय सीताराम ॥ (२)

॥ अयोध्याकाण्डम् ॥

अगणित-गुण-गण-भूषित राम ।
अवनी-तनया-कामित राम ।
राका-चन्द्र-समानन राम ।
पितृ-वाक्याश्रित-कानन राम ।
प्रिय-गुह-विनि-वेदित-पद राम ।
तत्क्षालित-निज-मृदु-पद राम ।
भरद्वाज-मुखा-नन्दक राम ।
चित्रकूटाद्रि-निकेतन राम ।
दशरथ-संतत-चिन्तित राम ।
कैकेयी-तनयार्थितराम ।
विरचित-निज-पितृ-कर्मक राम ।
भरतार्पित-निज-पादुक राम ।
राम राम जय राजा राम । राम राम जय सीताराम ॥ (२)

॥ अरण्यकाण्डम् ॥

दण्डक-वन-जन-पावन राम ।
दुष्ट-विराध-विनाशन राम ।
शरभङ्ग-सुतीक्ष्णार्चित राम ।

अगस्त्यानुग्रह-वर्धित राम ।
गृध्राधिप-संसेवित राम ।
पंचवटी-तट-सुस्थित राम ।
शूर्पणखार्ति-विधायक राम ।
खर-दूषण-मुख-सूदक राम ।
सीता-प्रिय-हरिणानुग राम ।
मारीचार्ति-कृताशुग राम ।
विनष्ट-सीतान्वेषक राम ।
गृध्राधिप-गति-दायक राम ।
शबरी-दत्त-फलाशन राम ।
कबन्ध-बाहुच्छेदन राम ।
राम राम जय राजा राम । राम राम जय सीताराम ॥ (२)

॥ किष्किन्धाकाण्डम् ॥

हनुमत्-सेवित-निजपद राम ।
नत-सुग्रीवाभीष्टद राम ।
गर्वित-वालि-संहारक राम ।
वानर-दूत-प्रेषक राम ।
हित-कर-लक्ष्मण-संयुत राम ।
राम राम जय राजा राम । राम राम जय सीताराम ॥ (२)

॥ सुन्दरकाण्डम् ॥

कपि-वर-संतत-संस्मृत राम ।
तद्-गति-विघ्नध्वंसक राम ।

सीता-प्राणाधारक राम ।
दुष्ट-दशानन-दूषित राम ।
शिष्ट-हनूमद्-भूषित राम ।
सीता-वेदित-काकावन राम ।
कृत-चूडामणि-दर्शन राम ।
कपि-वर-वचनाश्वासित राम ।
राम राम जय राजा राम ।
राम राम जय सीताराम ॥ (२)

॥ युद्धकाण्डम् ॥

रावण-निधन-प्रस्थित राम ।
वानर-सैन्य-समावृत राम ।
शोषित-शरदीशार्तित राम ।
विभीषणाभय-दायक राम ।
पर्वत-सेतु-निबन्धक राम ।
कुम्भ-कर्ण-शिरच्छेदक राम ।
राक्षस-सङ्घ-विमर्दक राम ।
अहि-महि-रावण-चारण राम ।
संहृत-दश-मुख-रावण राम ।
विधि-भव-मुख-सुर-संस्तुत राम ।
खःस्थित-दशरथ-वीक्षित राम ।
सीता-दर्शन-मोदित राम ।
अभिषिक्त-विभीषण-नत राम ।

पुष्पकयानारोहण राम ।

भरद्वाजाभिनिषेवण राम ।

भरत-प्राण-प्रियकर राम ।

साकेतपुरी-भूषण राम ।

सकल-स्वीय-समानस राम ।

रत्नलसत्-पीठास्थित राम ।

पट्टाभिषेकालङ्कृत राम ।

पार्थिव-कुल-सम्मानित राम ।

विभीषणार्पित-रङ्गक राम ।

कीश-कुलानुग्रह-कर राम ।

सकल-जीव-संरक्षक राम ।

समस्त-लोकोद्धारक राम ।

राम राम जय राजा राम । राम राम जय सीताराम ॥ (२)

॥ उत्तरकाण्डम् ॥

आगत-मुनि-गण-संस्तुत राम ।

विश्रुत-दश-कण्ठोद्भव राम ।

सीता-लिङ्गन-निर्वृत राम ।

नीति-सुरक्षित-जनपद राम ।

विपिन-त्याजित-जनकज राम ।

कारित-लवणासुर-वध राम ।

स्वर्गत-शम्बुक-संस्तुत राम ।

स्वतनय-कुश-लव-नन्दित राम ।

अश्वमेध-क्रतु-दीक्षित राम ।

काला-वेदित-सुरपद राम ।

आयोध्यक-जन-मुक्तिद राम ।

विधिमुख-विबुधानन्दक राम ।

तेजोमय-निजरूपक राम ।

संसृति-बन्ध-विमोचक राम ।

धर्म-स्थापन-तत्पर राम ।

भक्ति-परायण-मुक्तिद राम ।

सर्व-चराचर-पालक राम ।

सर्व-भवामय-वारक राम ।

वैकुण्ठालय-संस्थित राम ।

नित्यानन्द-पदस्थित राम ।

राम राम जय राजा राम । राम राम जय सीताराम ॥ (२)

भय-हर-मङ्गल-दशरथ राम ।

जय जय मङ्गल सीता-राम ।

मङ्गलकर जय मङ्गल राम ।

सङ्गत-शुभ-विभवोदय राम ।

आनन्दामृत-वर्षक राम ।

आश्रित-वत्सल जय जय राम ।

रघुपति राघव राजा राम ।

पतित-पावन सीता-राम ॥ (२)

श्री राम जय राम जय जय राम ॥ (५)

NĀMA-RĀMĀYAṆAM (108 NAMES)

Bālakāṇḍam

śuddha-brahma-parātpara rāma,
kālātmaka-parameśvara rāma,
śeṣatalpa-sukha-nidrita rāma,
brahmādyamara-prārthita rāma,
caṇḍa-kiraṇa-kula-maṇḍana rāma,
śrīmad-daśaratha-nandana rāma,
kausalyā-sukha-vardhana rāma,
viśvāmitra-priya-dhana rāma,
ghora-tāṭakā-ghātaka rāma,

mārīcādi-nipātaka rāma,
kauśika-makha-saṁrakṣaka rāma,
śrīmad-ahalyoddhāraka rāma,
gautama-muni-sampūjita rāma,
sura-muni-vara-gaṇa-saṁstuta rāma,
nāvika-dhāvika-mṛdupada rāma,
mithilā-pura-jana-mohaka rāma,
videha-mānasa-rañjaka rāma,
tryambaka-kārmuka-bhañjaka rāma,
sītārpita-vara-mālika rāma,
kṛta-vaivāhika-kautuka rāma,
bhārgava-darpa-vināśaka rāma,
śrīmad-ayodhyā-pālaka rāma,
rāma rāma jaya rājā rāma, rāma rāma jaya sītārāma. (2)

Ayodhyākāṇḍam

agaṇita-guṇa-gaṇa-bhūṣita rāma,
avanī-tanayā-kāmita rāma,
rākā-candra-samānana rāma,
pitṛ-vākyāśrita-kānana rāma,
priya-guha-vini-vedita-pada rāma,
tatkṣālita-nija-mṛdu-pada rāma,
bharadvāja-mukhā-nandaka rāma,
citrakūṭādri-niketana rāma,
daśaratha-santata-cintita rāma,
kaikeyī-tanayārthita rāma,
viracita-nija-pitṛ-karmaka rāma,
bharatārpita-nija-pāduka rāma,
rāma rāma jaya rājā rāma, rāma rāma jaya sītārāma. (2)

Araṇyakāṇḍam

daṇḍaka-vana-jana-pāvana rāma,
duṣṭa-virādha-vināśana rāma,
śarabhaṅga-sutīkṣṇārcita rāma,
agastyānugraha-vardhita rāma,
gṛdhrādhipa-saṁsevita rāma,
pañcavaṭī-taṭa-susthita rāma,
śūrpaṇakhārti-vidhāyaka rāma,
khara-dūṣaṇa-mukha-sūdaka rāma,
sītā-priya-hariṇānuga rāma,
mārīcārti-kṛtāśuga rāma,
vinaṣṭa-sītānveṣaka rāma,
gṛdhrādhipa-gati-dāyaka rāma,
śabarī-datta-phalāśana rāma,
kabandha-bāhucchedana rāma,
rāma rāma jaya rājā rāma, rāma rāma jaya sītārāma. (2)

Kiṣkindhākāṇḍam

hanumat-sevita-nijapada rāma,
nata-sugrīvābhīṣṭada rāma,
garvita-vāli-saṁhāraka rāma,
vānara-dūta-preṣaka rāma,
hita-kara-lakṣmaṇa-saṁyuta rāma,
rāma rāma jaya rājā rāma, rāma rāma jaya sītārāma. (2)

Sundarakāṇḍam

kapi-vara-santata-saṁsmṛta rāma,
tad-gati-vighnadhvaṁsaka rāma,
sītā-prāṇādhāraka rāma,

duṣṭa-daśānana-dūṣita rāma,
śiṣṭa-hanūmad-bhūṣita rāma,
sītā-vedita-kākāvana rāma,
kṛta-cūḍāmaṇi-darśana rāma,
kapi-vara-vacanāśvāsita rāma,
rāma rāma jaya rājā rāma, rāma rāma jaya sītārāma. (2)

Yuddhakāṇḍam

rāvaṇa-nidhana-prasthita rāma,
vānara-sainya-samāvṛta rāma,
śoṣita-śaradīśārtita rāma,
vibhīṣaṇābhaya-dāyaka rāma,
parvata-setu-nibandhaka rāma,
kumbha-karṇa-śiracchedaka rāma,
rākṣasa-saṅgha-vimardaka rāma,
ahi-mahi-rāvaṇa-cāraṇa rāma,
saṁhṛta-daśa-mukha-rāvaṇa rāma,
vidhi-bhava-mukha-sura-saṁstuta rāma,
khaḥsthita-daśaratha-vīkṣita rāma,
sītā-darśana-modita rāma,
abhiṣikta-vibhīṣaṇa-nata rāma,
puṣpakayānārohaṇa rāma,
bharadvājābhiniṣevaṇa rāma,
bharata-prāṇa-priyakara rāma,
sāketapurī-bhūṣaṇa rāma,
sakala-svīya-samānasa rāma,
ratnalasat-pīṭhāsthita rāma,
paṭṭābhiṣekālaṅkṛta rāma,
pārthiva-kula-sammānita rāma,

vibhīṣaṇārpita-raṅgaka rāma,
kīśa-kulānugraha-kara rāma,
sakala-jīva-saṁrakṣaka rāma,
samasta-lokoddhāraka rāma,
rāma rāma jaya rājā rāma, rāma rāma jaya sītārāma. (2)

Uttarakāṇḍam

āgata-muni-gaṇa-saṁstuta rāma,
viśruta-daśa-kaṇṭhodbhava rāma,
sītā-liṅgana-nirvṛta rāma,
nīti-surakṣita-janapada rāma,
vipina-tyājita-janakaja rāma,
kārita-lavaṇāsura-vadha rāma,
svargata-śambuka-saṁstuta rāma,
svatanaya-kuśa-lava-nandita rāma,
aśvamedha-kratu-dīkṣita rāma,
kālā-vedita-surapada rāma,
āyodhyaka-jana-muktida rāma,
vidhimukha-vibudhānandaka rāma,
tejomaya-nijarūpaka rāma,
saṁsṛti-bandha-vimocaka rāma ,
dharma-sthāpana-tatpara rāma,
bhakti-parāyaṇa-muktida rāma,
sarva-carācara-pālaka rāma,
sarva-bhavāmaya-vāraka rāma,
vaikuṇṭhālaya-saṁsthita rāma,
nityānanda-padasthita rāma,

rāma rāma jaya rājā rāma, rāma rāma jaya sītā rāma. (2)

bhaya-hara-maṅgala-daśaratha rāma,
jaya jaya maṅgala sītā-rāma,
maṅgalakara jaya maṅgala rāma,
saṅgata-śubha-vibhavodaya rāma,
ānandāmṛta-varṣaka rāma,
āśrita-vatsala jaya jaya rāma,
raghupati rāghava rājā rāma,
patita-pāvana sītā-rāma. (2)
śrī rāma jaya rāma jaya jaya rāma. (5)

राम स्तोत्रम्

१

आपदामपहर्तारं दातारं सर्व सम्पदाम् ।
लोकाभिरामं श्रीरामं भूयो भूयो नमाम्यहम् ॥

२

आर्तानां-आर्ति-हन्तारं भीतानां भीति-नाशनम् ।
द्विषतां काल-दण्डं तं राम-चन्द्रं नमाम्यहम् ॥

३

सन्नद्धः कवची खड्गी चाप-बाण-धरो युवा ।
गच्छन् ममाग्रतो नित्यं रामः पातु सलक्ष्मणः ॥

४

नमः कोदण्ड-हस्ताय सन्धी-कृत-शराय च ।
खण्डिता-खिल-दैत्याय रामायापन्-निवारिणे ॥

५

रामाय रामभद्राय रामचन्द्राय वेधसे ।
रघुनाथाय नाथाय सीतायाः पतये नमः ॥

६

अग्रतः पृष्ठतश्चैव पार्श्वतश्च महाबलौ ।
आकर्ण-पूर्ण-धन्वानौ रक्षेतां राम-लक्ष्मणौ ॥

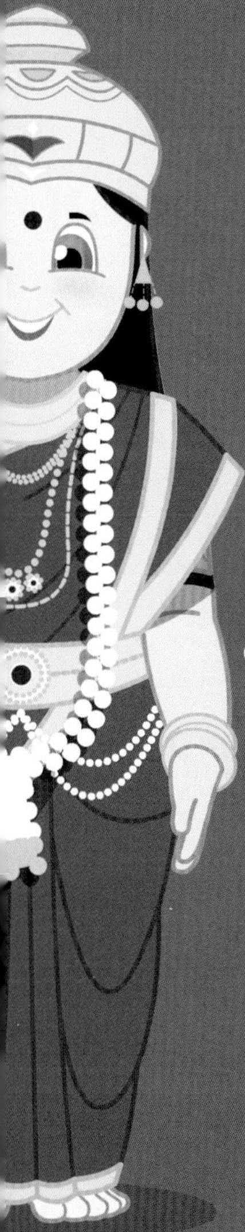

RĀMA-STOTRAM

1

āpadāmapahartāraṁ dātāraṁ sarva sampadām,
lokābhirāmaṁ śrīrāmaṁ bhūyo bhūyo namāmyaham.

2

ārtānāṁ ārti-hantāraṁ bhītānāṁ bhītināśanam,
dviṣatāṁ kāla-daṇḍaṁ taṁ rāmacandraṁ namāmyaham.

3

sannaddhaḥ kavacī khaḍgī cāpa-bāṇa-dharo yuvā,
gacchan mamāgrato nityaṁ rāmaḥ pātu salakṣmaṇaḥ.

4

namaḥ kodaṇḍa-hastāya sandhī-kṛta-śarāya ca,
khaṇḍitā-khila-daityāya rāmāyāpan-nivāriṇe.

5

rāmāya rāmabhadrāya rāmacandrāya vedhase,
raghunāthāya nāthāya sītāyāḥ pataye namaḥ.

6

agrataḥ pṛṣṭhataścaiva pārśvataśca mahābalau,
ākarṇa-pūrṇa-dhanvānau rakṣetāṁ rāma-lakṣmaṇau.

भजन

BHAJANS

१

नाम-सङ्कीर्तनम्

श्री राम जय राम जय जय राम ॥

1.

nāma-saṅkīrtanam

śrī rāma jaya rāma jaya jaya rāma.

२

जय जय तुलसी। जय जय राम। जय जय लक्ष्मण। जय हनुमान ॥

कौन रंग तुलसी। कौन रंग राम। कौन रंग लक्ष्मण। कौन हनुमान।
हरा रंग तुलसी। श्याम रंग राम। गोरा रंग लक्ष्मण। लाल हनुमान ॥

क्या पीए तुलसी। क्या खाए राम। क्या पीए लक्ष्मण। क्या हनुमान।
जल पीए तुलसी। मेवा खाए राम। दूध पीए लक्ष्मण। फल हनुमान ॥

कहाँ रहे तुलसी। कहाँ रहे राम। कहाँ रहे लक्ष्मण। कहाँ हनुमान।
घर-घर तुलसी। अयोध्या रहे राम। संग रहे लक्ष्मण। पग हनुमान ॥

2

jaya jaya tulasī, jaya jaya rāma, jaya jaya lakṣmaṇa,
jaya hanumāna,

kauna raṅga tulasī, kauna raṅga rāma, kauna raṅga lakṣmaṇa,
kauna hanumāna,
harā raṅga tulasī, śyāma raṅga rāma, gorā raṅga lakṣmaṇa,
lāla hanumāna.

kyā pīe tulasī, kyā khāe rāma, kyā pīe lakṣmaṇa, kyā hanumāna,
jala pīe tulasī, mevā khāe rāma, dūdha pīe lakṣmaṇa,
phala hanumāna.

kahāṁ rahe tulasī, kahāṁ rahe rāma, kahāṁ rahe lakṣmaṇa,
kahāṁ hanumāna,
ghara-ghara tulasī, ayodhyā rahe rāma, saṅga rahe lakṣmaṇa,
paga hanumāna.

३

रघुपति राघव राजा राम पतित-पावन सीता-राम ।
ईश्वर अल्ला तेरो नाम सबको सन्मति दे भगवान ॥ (२)
राम (७) राम राम राम सीता राम राम राम ॥

3

raghupati rāghava rājā rāma patita-pāvana sītā-rāma,
īśvara allā tero nāma sabako sanmati de bhagavāna. (2)
rāma (7) rāma rāma rāma sītā rāma rāma rāma.

४

जय सीया-राम जय जय सीया-राम ।
बोलो राम राम राम सीता राम ॥ (२)

जय सीया-राम जय जय सीया-राम।
बोलो राम राम राम राजा राम॥ (२)

4

jaya sīyā-rāma jaya jaya sīyā-rāma,
bolo rāma rāma rāma sītā rāma. (2)

jaya sīyā-rāma jaya jaya sīyā-rāma,
bolo rāma rāma rāma rājā rāma. (2)

५

आत्मा-राम आनन्द-रमण अच्युत केशव हरि नारायण॥
भव-भय-हरण वन्दित-चरण रघुकुल-भूषण राजीव-लोचन॥
आदि-नारायण अनन्त-शयन सच्चिदानन्द सत्य-नारायण॥

5

ātmā-rāma ānanda-ramaṇa acyuta keśava hari nārāyaṇa.
bhava-bhaya-haraṇa vandita-caraṇa raghukula-bhuṣaṇa rājīva-locana.
ādi-nārāyaṇa ananta-śayana saccidānanda satya-nārāyaṇa.

६

प्रेम मुदित मन से कहो राम राम राम।
श्री राम राम राम॥ (३)

पाप कटे दुःख मिटे लेत राम-नाम।
भव-समुद्र सुखद नाँव एक राम-नाम॥
श्री राम राम राम॥ (३)

परम-शान्ति सुख-निधान दिव्य राम-नाम ।
निराधार को आधार एक राम-नाम ॥
श्री राम राम राम ॥ (३)

परम-गोप्य परम-इष्ट मंत्र राम-नाम ।
संत-हृदय सदा बसत एक राम-नाम ॥
श्री राम राम राम ॥ (३)

महादेव सतत जपत दिव्य राम-नाम ।
काशी-मरत मुक्ति करत कहत राम-नाम ॥
श्री राम राम राम ॥ (३)

माता पिता बन्धु सखा सब ही राम-नाम ।
भक्त-जनन जीवन-धन एक राम-नाम ॥
श्री राम राम राम ॥ (३)

6

prema mudita mana se kaho rāma rāma rāma,
śrī rāma rāma rāma. (3)

pāpa kaṭe duḥkha miṭe leta rāma-nāma,
bhava-samudra sukhada nām̐va eka rāma-nāma.
śrī rāma rāma rāma. (3)

param-śānti sukha-nidhāna divya rāma-nāma,
nirādhāra ko ādhāra eka rāma-nāma.
śrī rāma rāma rāma. (3)

parama-gopya param-iṣṭa mantra rāma-nāma,
santa-hṛdaya sadā basata eka rāma-nāma.
śrī rāma rāma rāma. (3)

mahādeva satata japata divya rāma-nāma,
kāśī-marata mukti karata kahata rāma-nāma.
śrī rāma rāma rāma. (3)

mātā pitā bandhu sakhā saba hī rāma-nāma,
bhakta-janana jīvana-dhana eka rām-nāma.
śrī rāma rāma rāma. (3)

७

खाते भी राम कहो। पीते भी राम कहो।
सोते भी राम कहो। राम राम राम॥ बोलो - राम (१२)

उठते भी राम कहो। फिरते भी राम कहो।
गिरते भी राम कहो। राम राम राम॥ बोलो - राम (१२)

पढ़ते भी राम कहो। लिखते भी राम कहो।
सुनते भी राम कहो। राम राम राम॥ बोलो - राम (१२)

खेलते भी राम कहो। जीतते भी राम कहो।
हारते भी राम कहो। राम राम राम॥ बोलो - राम (१२)

हँसते भी राम कहो। रोते भी राम कहो।

मरते भी राम कहो। राम राम राम॥ बोलो - राम (१२)

7

khāte bhī rāma kaho, pīte bhī rāma kaho,
sote bhī rāma kaho, rāma rāma rāma. bolo - rāma (12)

uṭhate bhī rāma kaho, phirate bhī rāma kaho,
girate bhī rāma kaho, rāma rāma rāma. bolo - rāma (12)

paḍhate bhī rāma kaho, likhate bhī rāma kaho,
sunate bhī rāma kaho, rāma rāma rāma. bolo - rāma (12)

khelate bhī rāma kaho, jītate bhī rāma kaho,
hārate bhī rāma kaho, rāma rāma rāma. bolo - rāma (12)

haṁsate bhī rāma kaho, rote bhī rāma kaho,
marate bhī rāma kaho, rāma rāma rāma. bolo - rāma (12)

८

हम तो सीता-राम कहेंगे। हम तो राधे-श्याम कहेंगे॥

8

hama to sītā-rāma kaheṅge, hama to rādhe-śyāma kaheṅge.

९

जय हरि बोल जय सीता-राम। गोपी-गोपाल भजो राधे-श्याम।

हरे राम राम राम। घनश्याम श्याम श्याम॥

श्री रघुनन्दन श्री राम । दाशरथे जय रघु-राम ।
नन्द-किशोर नवनीत-चोर । वृन्दावन-गोविन्द-लाला ।
हरे राम राम राम । घनश्याम श्याम श्याम ॥

9

jaya hari bola jaya sītā-rāma, gopī-gopāla bhajo rādhe-śyāma,
hare rāma rāma rāma, ghanaśyāma śyāma śyāma.

śrī raghunandana śrī rāma, dāśarathe jaya raghu-rāma,
nanda-kiśora navanīta-cora, vṛndāvana-govinda-lālā,
hare rāma rāma rāma, ghanaśyāma śyāma śyāma.

१०

दशरथ-नन्दन राम । दया-सागर राम ।
दशमुख-मर्दन राम । दैत्य-कुलान्तक राम ।
लक्ष्मण-सेवित राम । सीता-वल्लभ राम ।
सूक्ष्म-स्वरूप राम । सुन्दर-रूप राम ॥

10

daśaratha-nandana rāma, dayā-sāgara rāma,
daśamukha-mardana rāma, daitya-kulāntaka rāma,
lakṣmaṇa-sevita rāma, sītā vallabha rāma,
sūkṣma-svarūpa rāma, sundara-rūpa rāma.

११

अयोध्या-वासी राम राम राम । दशरथ-नन्दन राम राम राम ।
पतित-पावन जानकि-जीवन । सीता-मोहन राम राम राम ॥

11

ayodhyā-vāsī rāma rāma rāma, daśaratha-nandana rāma rāma rāma,

patita-pāvana jānaki-jīvana, sīta-mohana rāma rāma rāma.

१२

राम नमो। राम नमो। राम नमो। श्री कृष्ण नमो॥

कौसल्या-नन्दन राम नमो। देवकि-नन्दन कृष्ण नमो।
राम नमो। राम नमो। राम नमो। श्री कृष्ण नमो॥
राम नमो। श्री कृष्ण नमो॥

अयोध्या-वासी राम नमो। गोकुल-वासी कृष्ण नमो।
राम नमो। राम नमो। राम नमो। श्री कृष्ण नमो॥
राम नमो। श्री कृष्ण नमो॥

दशरथ-नन्दन राम नमो। वसुदेव-नन्दन कृष्ण नमो।
राम नमो। राम नमो। राम नमो। श्री कृष्ण नमो॥
राम नमो। श्री कृष्ण नमो॥

ताटकि-मर्दन राम नमो। पूतना-मर्दन कृष्ण नमो।
राम नमो। राम नमो। राम नमो। श्री कृष्ण नमो॥
राम नमो। श्री कृष्ण नमो॥

रावण-मर्दन राम नमो। कंस-विमर्दन कृष्ण नमो।
राम नमो। राम नमो। राम नमो। श्री कृष्ण नमो॥
राम नमो। श्री कृष्ण नमो॥

जानकि-वल्लभ राम नमो। रुक्मिणि-वल्लभ कृष्ण नमो।
राम नमो। राम नमो। राम नमो। श्री कृष्ण नमो॥
राम नमो। श्री कृष्ण नमो॥

दीन-दयाल राम नमो। दीन-संरक्षक कृष्ण नमो।
राम नमो। राम नमो। राम नमो। श्री कृष्ण नमो॥
राम नमो। श्री कृष्ण नमो॥

राम नमो। श्री राम नमो। राम नमो। सीता-राम नमो।
राम नमो। राम नमो। राम नमो। श्री कृष्ण नमो॥
राम नमो। श्री कृष्ण नमो॥

कृष्ण नमो। श्री कृष्ण नमो। कृष्ण नमो। राधा-कृष्ण नमो।
राम नमो। राम नमो। राम नमो। श्री कृष्ण नमो॥
राम नमो। श्री कृष्ण नमो॥ (३)

12

rāma namo, rāma namo, rāma namo, śrī kṛṣṇa namo,

kausalyā-nandana rāma namo, devaki-nandana kṛṣṇa namo.
rāma namo, rāma namo, rāma namo, śrī kṛṣṇa namo.
rāma namo, śrī kṛṣṇa namo.

ayodhyā-vāsī rāma namo, gokula-vāsī kṛṣṇa namo,
rāma namo, rāma namo, rāma namo, śrī kṛṣṇa namo.
rāma namo, śrī kṛṣṇa namo.

daśaratha-nandana rāma namo, vasudeva-nandana kṛṣṇa namo,
rāma namo, rāma namo, rāma namo, śrī kṛṣṇa namo.
rāma namo, śrī kṛṣṇa namo.

tāṭaki-mardana rāma namo, pūtanā-mardana kṛṣṇa namo,

rāma namo, rāma namo, rāma namo, śrī kṛṣṇa namo.
rāma namo, śrī kṛṣṇa namo.

rāvaṇa-mardana rāma namo, kaṁsa-vimardana kṛṣṇa namo,
rāma namo, rāma namo, rāma namo, śrī kṛṣṇa namo.
rāma namo, śrī kṛṣṇa namo

jānaki-vallabha rāma-namo, rukmiṇī-vallabha kṛṣṇa namo,
rāma namo, rāma namo, rāma namo, śrī kṛṣṇa namo.
rāma namo, śrī kṛṣṇa namo.

dīna-dayāla rāma namo, dīna-saṁrakṣaka kṛṣṇa namo,
rāma namo, rāma namo, rāma namo, śrī kṛṣṇa namo.
rāma namo, śrī kṛṣṇa namo.

rāma namo, śrī rāma namo, rāma namo, sītā-rāma namo,
rāma namo, rāma namo, rāma namo, śrī kṛṣṇa namo.
rāma namo, śrī kṛṣṇa namo.

kṛṣṇa namo, śrī kṛṣṇa namo, kṛṣṇa namo, rādhā-kṛṣṇa namo,
rāma namo, rāma namo, rāma namo, śrī kṛṣṇa namo.
rāma namo, śrī kṛṣṇa namo. (3)

१३

आत्म-निवासी राम। आत्म-निवासी राम।
दशरथ-नन्दन राम। जय जय जानकि-जीवन राम॥

अयोध्या-वासी राम । अयोध्या-वासी राम ।
दशरथ-नन्दन राम । जय जय जानकि-जीवन राम ॥

अरण्य-वासी राम । अरण्य-वासी राम ।
दशरथ-नन्दन राम । जय जय जानकि-जीवन राम ॥

अहल्योद्धारक राम । अहल्योद्धारक राम ।
दशरथ-नन्दन राम । जय जय जानकि-जीवन राम ॥

दशमुख-मर्दन राम । दशमुख-मर्दन राम ।
दशरथ-नन्दन राम । जय जय जानकि-जीवन राम ॥

भक्त-वत्सल राम । भक्त-वत्सल राम ।
दशरथ-नन्दन राम । जय जय जानकि-जीवन राम ॥

13

ātma-nivāsī rāma, ātma-nivāsī rāma,
daśaratha-nandana rāma, jaya jaya jānaki-jīvana rāma.

ayodhyā-vāsī rāma, ayodhyā-vāsī rāma,
daśaratha-nandana rāma, jaya jaya jānaki-jīvana rāma.

araṇya-vāsī rāma, araṇya-vāsī rāma,
daśaratha-nandana rāma, jaya jaya jānaki-jīvana rāma.

ahalyoddhāraka rāma, ahalyoddhāraka rāma,
daśaratha-nandana rāma, jaya jaya jānaki-jīvana rāma.

daśamukha-mardana rāma, daśamukha-mardana rāma,
daśaratha-nandana rāma, jaya jaya jānaki-jīvana rāma.

bhakta-vatsala rāma, bhakta-vatsala rāma,
daśaratha-nandana rāma, jaya jaya jānaki-jīvana rāma.

१४

राम राम राम राम राम-नाम तारकम् ।
राम कृष्ण वासुदेव भक्ति-मुक्ति-दायकम् ।
जानकी-मनोहरं सर्वलोक-नायकम् ।
शङ्करादि-सेव्य-मान दिव्य-नाम-वैभवम् ॥

14

rāma rāma rāma rāma rāma-nāma tārakam,
rāma kṛṣṇa vāsudeva bhakti-mukti-dāyakam,
jānakī-manoharaṁ sarvaloka-nāyakam,
śaṅkarādi-sevya-māna divya-nāma-vaibhavam.

१५

राम कोदण्ड राम राम पट्टाभि राम ।
राम कल्याण राम राम राम राम ॥

15

rāma kodaṇḍa rāma rāma paṭṭābhi rāma,
rāma kalyāṇa rāma rāma rāma rāma.

श्री हनुमान
LORD HANUMAN (Śrī Hanumāna)

Did you know . . . ?

Śrī Hanumāna is known to be Lord Śiva Himself!

Hanumāna is known as the world's most perfect devotee, scholar, speaker, warrior, and more! And this is because every pore of his body is constantly chanting the name of Lord Rāma.

Whenever Hanumāna introduced himself, it was always as Rāma-dūta, or 'the servant/messenger of Lord Rāma.'

Hanumāna's favourite compliment from Lord Rāma was when Śrī Rāma said, 'You are dear to me as my brother Bharata!'

The greatest and most powerful prayer and hymn to Hanumāna is Santa Tulasīdāsa's Hanumāna Cālīsā.

Hanumāna is always present at every Rāmakathā - even today! This was a special boon given to him by Lord Rāma, and so, Hanumāna has a VIP seat at every Rāmakathā!

The mahāmantra for Lord Hanumāna is 'om śrī hanumate namaḥ.'

ध्यान श्लोकः
INVOCATIONS (Dhyāna Ślokaḥ)

१

मनोजवं मारुत-तुल्य-वेगम्।
जितेन्द्रियं बुद्धिमतां वरिष्ठम्।
वातात्मजं वानर-यूथ-मुख्यम्।
श्रीराम-दूतं शिरसा नमामि॥

1

manojavaṁ māruta-tulya-vegam,
jitendriyaṁ buddhimatāṁ variṣṭham,
vātātmajaṁ vānara-yūtha-mukhyam,
śrīrāma-dūtaṁ śirasā namāmi.

I bow my head saluting Śrī Hanumāna, who travels as fast as the mind and the wind, who has mastered all the sense organs, who is the best among the intelligent, who is the son of the wind god, who is foremost in the monkey tribe, and who is the servant and messenger of Lord Rāma.

२

बुद्धिर्बलं यशो-धैर्यं निर्भयत्वं अरोगता।
अजाड्यं वाक्-पटुत्वं च हनुमत् स्मरणात् भवेत्॥

2

buddhirbalaṁ yaśo-dhairyaṁ-nirbhayatvaṁ arogatā,
ajāḍyaṁ vāk-paṭūtvaṁ ca hanumat smaraṇāt bhavet.

Remembrance of Śrī Hanumāna grants intelligence, strength, fame, courage, health, a long life, and eloquence.

३

यत्र यत्र रघुनाथ कीर्तनं तत्र तत्र कृत मस्तकाञ्जलिम् ।
बाष्प-वारि परिपूर्ण-लोचनं मारुतिं नमत राक्षसान्तकम् ॥

3

yatra yatra raghunātha kīrtanaṁ tatra tatra kṛta mastakāñjalim,
bāṣpa-vāri paripūrṇa-locanaṁ mārutiṁ namata rākṣasāntakam.

I prostrate before Lord Māruti, causing death of the rākṣasas. I salute him, who, with head bent (in humility), palms folded in adoration, and eyes brimming with tears (of devotion), frequents every place where Śrī Rāma's name is glorified.

४

अतुलित-बल-धामं हेम-शैलाभ-देहम्।
दनुज-वन-कृशानुं ज्ञानिनाम्-अग्रगण्यम्।
सकल-गुण-निधानं वानराणाम्-अधीशम्।
रघुपति-प्रिय-भक्तं वातजातं नमामि ॥

4

atulita-bala-dhāmaṁ hema-śailābha-deham,
danuja-vana-kṛśānuṁ jñāninām-agragaṇyam,
sakala-guṇa-nidhānaṁ vānarāṇām-adhīśam,
raghupati-priya-bhaktaṁ vātajātaṁ namāmi.

I salute the son of the wind Lord. He is the leader of the monkeys and the messenger of Lord Rāma. His strength is incomparable and his body is like a solid mountain of gold. He burns the forest of asuras like a forest fire. He is foremost among the spiritually illumined beings and is a treasure house of all virtues.

भजन
BHAJANS

१

वीर हनुमाना अति-बलवाना राम नाम रसिया रे।
हे हे हे हे प्रभु मन बसिया रे।
हो हो हो हो तपोवन बसिया रे ॥

राम लक्ष्मण जानकी जय बोलो हनुमान की ॥ (२)
वीर हनुमाना अति-बलवाना राम नाम रसिया रे।

हे हे हे हे प्रभु मन बसिया रे।
हो हो हो हो तपोवन बसिया रे॥

सीता-राम जय सीता-राम भज प्यारे तू सीता-राम॥ (२)
वीर हनुमाना अति-बलवाना राम नाम रसिया रे।
हे हे हे हे प्रभु मन बसिया रे।
हो हो हो हो तपोवन बसिया रे॥

रघुपति राघव राजा राम पतित-पावन सीता-राम॥ (२)
वीर हनुमाना अति-बलवाना राम नाम रसिया रे।
हे हे हे हे प्रभु मन बसिया रे।
हो हो हो हो तपोवन बसिया रे॥

1

vīra hanumānā ati-balavānā rāma nāma rasiyā re,
he he he he prabhu mana basiyā re,
ho ho ho ho tapovana basiyā re.

rāma lakṣmaṇa jānakī jaya bolo hanumāna kī. (2)
vīra hanumānā ati-balavānā rāma nāma rasiyā re,
he he he he prabhu mana basiyā re,
ho ho ho ho tapovana basiyā re.

sītā-rāma jaya sītā-rāma bhaja pyāre tū sītā-rāma. (2)
vīra hanumānā ati-balavānā rāma nāma rasiyā re,

he he he he prabhu mana basiyā re,
ho ho ho ho tapovana basiyā re.

raghupati rāghava rājā rāma patita-pāvana sītā-rāma. (2)
vīra hanumānā ati-balavānā rāma nāma rasiyā re,
he he he he prabhu mana basiyā re,
ho ho ho ho tapovana basiyā re.

ॐ

२

वीर-मारुति । गम्भीर-मारुति । धीर-मारुति । अति-धीर-मारुति ।
गीत-मारुति । संगीत-मारुति । दूत-मारुति । राम-दूत-मारुति ।
भक्त-मारुति । परम-भक्त-मारुति ॥

2

vīra-māruti, gambhīra-māruti, dhīra-māruti, ati-dhīra-māruti,
gīta-māruti, saṅgīta-māruti, dūta-māruti, rāma-dūta-māruti,
bhakta-māruti, parama-bhakta-māruti.

३

अमृतं देहि हनुमाने । शरणं हनुमाने । (२)
बुद्धिं देहि हनुमाने । ज्ञानं हनुमाने । (२)
सत्यं जय जय हनुमाने । मृत्युं जय जय हनुमाने । (२)
राक्षस-मर्दन वानर-रक्षक अञ्जन-नन्दन हनुमाने ।
अञ्जन-नन्दन हनुमाने ॥ (२)

3

amṛtaṁ-dehi hanumāne, śaraṇaṁ hanumāne, (2)
buddhiṁ dehi hanumāne, jñānaṁ hanumāne, (2)
satyaṁ jaya jaya hanumāne, mṛtyuṁ jaya jaya hanumāne, (2)
rākṣasa-mardana vānara-rakṣaka añjana-nandana hanumāne,
añjana-nandana hanumāne. (2)

४

प्रेम मेघा तुम वायु-सुत अञ्जनि-कुमार ।
बुद्धि-दाता विपुल-चरित सुजन-भयहर ।
अरुण-कान्ति-काय-युक्त भक्त-नमित राम-दूत असुर-भयकर ॥

अतुलित-बल-धाम। (२) अमित-पराक्रम।
प्रचण्ड-विक्रम। (२)
अरुण-कान्ति-काय-युक्त भक्त-नमित राम-दूत असुर-भयकर॥

निजानन्द-दास वर। (२) वरद श्रीकर।
सुर-मनोहर। (२)
अरुण-कान्ति-काय-युक्त भक्त-नमित राम-दूत असुर-भयकर॥

4

prema meghā tuma vāyu-suta añjani-kumāra,
buddhi-dātā vipula-carita sujana-bhayahara,
aruṇa-kānti-kāya-yukta bhakta-namita rāma-dūta asura-bhayakara.

atulita-bala-dhāma, (2) amita-parākrama,
pracaṇḍa-vikrama, (2)
aruṇa-kānti-kāya-yukta bhakta-namita rāma-dūta asura-bhayakara.

nijānanda-dāsa vara, (2) varada śrīkara,
sura-manohara, (2)
aruṇa-kānti-kāya-yukta bhakta-namita rāma-dūta asura-bhayakara.

५

वन्दे सन्तं जय हनुमन्तं रामदासं अमलं बलवन्तम्।
राम-कथा-मधू पिबन्तं परम प्रेम भरेण नटन्तम्।
सर्वं राममयं पश्यन्तं राम राम सदा जपन्तम्।
राम राम राम राम॥ (४)

5

vande santaṁ jaya hanumantaṁ rāmadāsaṁ amalaṁ balavantam,
rāma-kathā-madhū pibantaṁ parama prema bhareṇa naṭantam,
sarvaṁ rāmamayaṁ paśyantaṁ rāma rāma sadā japantam,
rāma rāma rāma rāma. (4)

6

victory to our mahā-hero! say with gusto, 'jai hanumāna!'
super power, splendid hero! say with gusto, 'jai hanumāna!'
there is magic in this hero! say with gusto, 'jai hanumāna!'
always bright and very right! say with gusto, 'jai hanumāna!'

he is the one with lots of fun,
mighty wind god's son and a friend of everyone,
give him any work and it's very well done,
compared to him, on this earth there is none.
victory....................!

come on, come on, let's chant his name,
glory to the one who spread rāma's fame,
invoke him! he'll take you to your aim,
any huge task is just a game.
victory...............!

vīra hanumāna, ati-dhīra hanumāna,
bhakta hanumāna, bajaraṅga hanumāna,
buddhimāna, balavāna, our dear hanumāna.
victory...............!

GOOD MANNERS

1. Good manners come from good character. Build a good character when you are young.

2. Good thoughts make a good mind. A good mind makes a person good.

3. All good manners should start at home. Respect your parents and follow their advice. Be kind and good to your brothers and sisters.

4. Earn a good name at your school. Be regular in attendance, and diligent and well-behaved. Respect your teachers and love your companions.

5. Learn to play all the ordinary indoor and outdoor games. Play with interest, without quarreling or cheating.

6. Be helpful to everyone as much as you can.

7. Always speak the truth.

8. See, talk, and follow the good qualities you see in others. If you find any bad qualities, observe them silently and make sure you do not repeat them.

9. Be very careful when you walk on public roads. Learn the rules of the road.

10. When you meet anyone for the first time in the day, salute him or her with a proper form of address, such as, 'Hari Om,' 'Namaste,' 'Good morning,' etc.

11. Say your prayers and do your japa everyday for at least half an hour. Sing the songs and bhajans taught to you in class.

॥ हरि ॐ ॥

॥ Hari Om ॥